Mi Cocina Española

Dirección general
ROBERTO CASTELL

Dirección de la obra
JESUS MANUEL MARTINEZ

Introducción
VICTOR DE LA SERNA
Presidente Honorario
de la Academia Internacional del Vino

Textos
EQUIPO REDACCION EDITORIAL

Maquetación
MIGUEL ORTIZ

Diseño del estuche
ANTONIO PORTABELLA

Secretaria de redacción
MONTSERRAT JUAN

Fotografías
AISA - ROTGER
SERVICIOS FOTOGRAFICOS EDITORIALES

© Ediciones Castell, S. A.

Impreso en España por EGEDSA
Printed in Spain

Depósito legal: B-6975-1991   ISBN 84-7489-304-6

ediciones castell

Introducción

La cocina nacida en los albores de la Historia de España ha recibido el influjo de todos los pueblos —cartagineses, griegos, romanos, árabes, visigodos...— que por estas antiguas tierras vivieron, guerrearon, laboraron y murieron. Es casi imposible buscar un plato o un condumio que sea de una pureza de origen total, y eso es bueno. Las culturas diversas aportan lo mejor que hay en ellas; ahora que su síntesis se ha afianzado, debemos conservar esas tradiciones culinarias como un signo más de identidad cultural, y matizarlas y aligerarlas para su adaptación a la vida actual. Son tradiciones, sí; pero están vivas y no petrificadas en el tiempo.

Existe un auténtico resurgimiento de las cocinas populares, y es un apasionante desafío para cocineros y cocineras el de sacar a la luz viejos platos olvidados que tenían su propia razón de ser. Y esto no se hace por puro romanticismo. Es una simple reivindicación histórica, de los que quieren saber quiénes son y cómo han venido a ser así. Y es que la gastronomía, a fin de cuentas, es un fruto razonado de la Historia.

Las distintas cocinas españolas componen un conjunto gastronómico situado entre los primeros de Occidente, junto con la cocina francesa —la primera de todas— y la italiana. De las cocinas españolas hay que destacar la vasca, seguida de la catalana y de la andaluza, especialmente de la andaluza «casera», aunque todas tienen peculiaridades muy distintas.

Creo —es al menos mi apreciación subjetiva— que las mejores despensas naturales españolas están en Galicia primero, en Levante y Cataluña después, y que los platos populares —regionales— constituyen la más importante aportación de España a la gastronomía mundial. Por eso pienso que en todos los esfuerzos por mantener las distintas tradiciones culinarias regionales, está el futuro de nuestra cocina.

Es ciertamente una cocina modesta, porque hasta hace pocos años era la cocina de un país pobre. Mientras en Francia la exuberancia agrícola, ganadera y avícola ha permitido el nacimiento y la evolución de una cultura culinaria suntuosa, en España —como en Italia— los cocineros han tenido que operar con materias primas mucho más modestas. Mientras los franceses disponían de volátiles extraordinarios, de carnes soberbias y abundantes, de mantequilla y nata a toneladas, de verduras variadísimas —porque el país es una enorme huerta—, los españoles tenían que limitarse al consumo de legumbres secas, carnes curadas, salazones, embutidos caseros y quesos; productos todos ellos que hasta hace apenas 50 años constituían la base de las cocinas castellanas, extremeñas y andaluzas, con la añadidura de los magníficos pescados de las zonas del litoral, y todo ello ennoblecido por el gran tesoro de nuestra gastronomía, el aceite de oliva, denominador común de España (Salamanca, Alcañiz, Lérida, Reus o Tarragona), que se ofre-

cen como una delicada joya en un restaurante de París y Berlín o son comprados a precio de oro en un lujoso «delicatessen» de Londres o Nueva York. Afortunadamente, aún hoy se encuentran al alcance de la mano de cualquier hogar español. Aceite de oliva que no puede ser reemplazado por otras grasas, porque es evidente que la mayor parte de la buena cocina española tiene su razón de ser exactamente en ese aceite, muy en especial en lo que se refiere a los fritos. Las más altas autoridades culinarias del mundo lo recomiendan, pues ese aceite de oliva resiste altas temperaturas sin degradarse y dora su «empapar» los alimentos. Unos humildes churros mañaneros, comidos recién fritos (¡en aceite de oliva!) fueron la delicia de chicos y grandes. Y nadie imagina que los sabrosos pescaditos fritos a la andaluza —antaño modesta golosina— puedan caer en la aberración culinaria de las otras grasas. La cocina española sólo puede ser una cocina seria si su base sigue estando en el uso del aceite de oliva. Conservemos, claro, esas excepciones puntuales y necesarias, las que implican el uso de la manteca de cerdo en episodios culinarios muy concretos.

Esta penuria de elementos ha sido, sin embargo, la causa de que naciesen ciertos platos populares absolutamente importantes. Su base no estaba en las materias primas, sino en el genio de sus creadores, en el amoroso cuidado del proceso culinario, en el equilibrio de las silvestres especias y condimentos que son «riesgo y ventura» de la cocina española. En España, la pimienta, la nuez moscada, la alcaravea, los ajos de ascalonia, el estragón, que son comunes en la cocina francesa, constituyen especias y condimentos relativamente recientes y aún no demasiado utilizados. Salvo el maravilloso pimentón de Murcia y de la Vera de Plasencia, y salvo el prodigioso azafrán manchego, el resto de los condimentos españoles es de una sencillez agreste y humilde: ajo, laurel, tomillo, romero, orégano, guindillas, hierbabuena...

Hay que volver a cultivar en toda su pureza la gran cocina española, sin truculencias ni falacias, con honradez, ahora que las circunstancias han cambiado en la despensa nacional: la carne va siendo cada vez mejor, los circuitos de distribución del pescado fresco o congelado alcanzan prácticamente a los rincones más remotos del país, se vuelven a encontrar volátiles criados con maíz o grano tras el lamentable, y perdurable, paréntesis de los piensos compuestos, las verduras y frutos frescos más variados están a nuestro alcance. Tratemos, pues, de hacer una cocina española que puede ser más racional desde el punto de vista dietético, más sencilla y más rápida de confeccionar pero, ¿por qué no?, tan exquisita y personal como la cocina «de las abuelas».

Lo que pasa es que es mucho más difícil hacer unas buenas alubias estofadas que preparar cualquier guiso disponiendo de

unas perfumadas trufas, de un buen *foie-gras* y de una nata perfecta. Para lo primero se necesitan unas alubias tiernas, un punto de cocción exacto y una dosis habilísima de especias y condimentos. Para lo segundo, poco tiene que hacer un cocinero a poco talento que tenga, más que cuidar atentamente el guiso y no estropear tan exquisitos ingredientes.

Existen en España platos de origen popular de una perfección milagrosa dentro de su sencillez, que hay que proteger de los que la bastardean o exageran. La paella es un ejemplo terminante. Nacida en la orilla de la Albufera valenciana, este plato fue en sus principios la sencilla y suculenta comida de los huertanos: arroz, anguila, judías verdes. Todo ello cocinado en esa sartén especial y característica de Levante, la «paella», justamente, de donde toma su nombre el guiso. Si bien con los años y el éxito el plato fue incorporando a su receta otros elementos (carne de cerdo, conejo o pollo, salchichas de la región, etc.), lo cierto es que la auténtica, la admirable paella valenciana ha tenido siempre su base en el «punto» fuertísimo, único, dificilísimo del arroz. El arroz, que absorbe el gusto de los demás ingredientes —entre los que «nunca» se encuentra la cebolla—, y se convierte por gracia de ese punto que debe tener cuando es auténtico arroz a la valenciana, en protagonista indiscutible y casi único de la verdadera paella.

Otro ejemplo muy apático es el del bacalao ligado «al pil-pil». Siempre sostendré que su realización es una de las hazañas gastronómicas europeas, comparable a los más grandes platos de la opulenta cocina francesa. Hacer que con unos trozos de esa cosa seca, salada y con aspecto de cartón mojado que es el bacalao, con un chorro de aceite de oliva, un poco de ajo y perejil picados se logre —a base de tiento, de equilibrio en las dosis, de paciencia en el guiso, de «mano» en suma— un plato sutilísimo, suntuoso, es para mí un perfecto milagro gastronómico. Y lo curioso es que en estos sencillísimos platos regionales se sigue prácticamente aquella máxima de Curnonsky, en la que afirmaba que la gran cocina es aquella que sabe conservar a los alimentos el gusto de lo que son.

Esta década de los ochenta, los indicios gastronómicos señalan que será espléndida por el creciente interés de las gentes en las cosas del comer y del beber, la mejora de los productos, la información y la crítica cotidianas y los aires renovadores de nuestra cocina. La verdad es que por ahora se come mejor que hace diez años. La elevación de la calidad media de los establecimientos públicos es un fenómeno comprobable ya en toda España.

Entre la enorme diversidad de cocinas o regiones españolas hay un plato que se repite con distintas variantes, y ése es el cocido, ese plato que puede ser muy sencillo o muy complejo según vengan los días y el bolsillo. Pero siempre hecho amorosa-mente, a fuego lento y borboteando. Desde el castizo cocido madrileño a la «escudella i carn d'olla» catalana, pasando por la olla andaluza o el potaje asturiano, es un plato familiar y entrañable para los que ya no somos tan jóvenes, y que está en camino de ser recuperado por las nuevas generaciones. Por lo menos por aquellos jóvenes que creen firmemente que la cocina es una más (y no despreciable) de las señas de identidad de un pueblo.

Para mí sigue siendo válida la división gastronómica que hizo de España aquel gran escritor vasco, Luis Antonio de Vega. Constaba de cuatro regiones principales: la septentrional o de las salsas, la central o de los asados, la meridional o de los fritos, y la levantina o de los arroces. A estas cuatro grandes regiones añadía eventualmente otra, la que él llamaba «merindad gastronómica del Ebro», que participa un poco de las características de las demás, a las que añade el gran descubrimiento aragonés de los chilindrones. La gran cultura de L. A. de Vega adivina en esta «merindad del Ebro» la presencia de elementos vascongados, mudéjares y semitas, con la añadidura de unos toques romanos y helénicos que la completan.

Recorramos, pues, las grandes cocinas españolas, que se enmarcan en estas vastas, variadas y fundamentales áreas.

ANDALUCÍA

Quien piensa en cocina andaluza piensa automáticamente en el gazpacho y el pescado frito. Eso es un poco injusto, porque Andalucía es un enorme mosaico gastronómico, determinado por su geografía, costas, valles, montañas, y matizada por una huella hondísima de su pasado árabe y musulmán.

El pescado frito constituye un inevitable tópico, el gran tópico de la cocina andaluza —siempre en feliz maridaje con el aceite de oliva de la tierra—: gambas rojas de la costa de Almería, chanquetes, chopritos y boquerones malagueños, acedías y lenguados de estero en la desembocadura del Guadalquivir, langostinos y cigalas de Huelva, gambas rosadas...; con toda esa riqueza ictiológica elaboran los andaluces platos de apariencia sencillísima, pero en el fondo complejos y sutiles. Por ejemplo: ese detalle que a casi todos se nos escapa de la muy especial harina «de fritura» que debe llevar un frito andaluz hecho como Dios manda. O esa «única» pasada por la sartén cuando de fritos se trata —el cocinero no refríe jamás, pues deja el aceite «para otras cosas»— pequeño secreto que da a los fritos ese especial «crocante», dorado por fuera, tierno y sabroso por dentro.

Y el gazpacho. Esa sublime sopa fría de legumbres frescas, aderezada con su pizca de ajo y cebolla, su chorro de aceite y su hilillo de vinagre. Del gazpacho, lo mismo que de todos los

grandes platos populares («fondue» suiza, «cassoulet» francés, paella española...) existen centenares de recetas y cada poseedor de una de ellas le jurará a usted por sus muertos que es la auténtica. Yo no sé cuál receta de gazpachos es la mejor, pero sí puedo decir que recuerdo el gazpacho más exquisito que he degustado en mi vida, en la finca de un ilustre amigo jerezano. Era un gazpacho blanco, pero no un «ajo blanco» —especialidad cordobesa—, cuyo alto color viene dado por la clara de huevo cocida que entra en su composición. Pero lo que seguramente da el tono supremo a este gazpacho y lo que le hace diferente a todos los demás es el sabio empleo del vinagre, vinagre que en este caso es de Jerez. Pienso que en su calidad reside el secreto de un buen gazpacho. Aunque además tenga otros muchos secretos que a veces guardan celosamente para sí las amas de casa andaluzas.

Pero no podemos olvidar esa otra maravilla andaluza que son los mariscos, sobre todo los que se pueden consumir en Sanlúcar de Barrameda, en plena desembocadura del Guadalquivir, huérfano ya ¡ay!, de aquellos magníficos esturiones que en tiempos hubo, que daban un caviar, escaso, pero exquisito. Allí, junto al río, está el llamado «Bajo de guía», donde una serie de restaurantes instalados en barracones más o menos nuevos, elegantes y confortables ofrecen al viajero el portento de sus langostinos, de sus cigalas y de sus quisquillas. Todo ello comprado a un paso de los pesqueros que arriban al famoso puerto andaluz. ¡Qué perfección, qué deliciosa sorpresa la del marisco sanluqueño, sencillamente cocido y aderezado con una de esas salsas que los patrones preparan algunas veces a la vista de comensal!

La olla andaluza es un plato con múltiples recetas y componentes, desde el clásico con su «pringá», hasta los que varían radicalmente con elementos tan dispares como las tagarninas, habichuelas, espinacas, berzas, calabacines o albóndigas de bacalao. En el interior de Andalucía se cocinan las verduras con verdadero primor y los estofados —como el exquisito rabo de toro—, sin olvidar que quien no ha comido en esta bendita tierra unos sencillos huevos fritos (en aceite de oliva) no tiene idea de qué maravilla gastronómica puede ser algo tan simple y modesto.

Un capítulo importantísimo en la cocina andaluza son los postres. En ellos es donde más perdura la herencia musulmana de la región, y tienen además una deliciosa fantasía en los nombres y una variedad poco comunes en España: «Suspiros de monjas», «Bienmesabe», Alfajores, Arrope, «Maimones», «Cabello de ángel», «Flores de sartén», Carne de membrillo, «Brazo de gitano», «Pasta flora nupcial», mantecadas, pestiños, polvorones... Cada familia, cada convento tiene su particular receta heredada generación tras generación.

ASTURIAS

Buscando un contraste total con esta cocina andaluza, entremos por las rutas de Asturias. Aquí se practican unos viejos, clásicos, bravíos y honestos sistemas populares a la hora de cocinar; la materia prima es el elemento indiscutido sin nada que disfrace los sabores primigenios. El arte es sencillo, sin elaboraciones, y tiene el atractivo singular de lo que se ha conservado intacto a través de los años con todo su valor, sin desnaturalizaciones, ni modas, ni maquillajes. Es un interesante juego probar y comparar esta vieja cocina popular con las «nuevas cocinas» que también se practican en Asturias, y hoy en día tan en boga siguiendo el viejo refrán de «en la variedad está el gusto».

Asturias es la patria chica de un plato prodigioso —la fabada— hecho para hombres y estómagos fuertes, cuyo ingrediente básico son las «fabes» (alubias) de extraordinaria calidad, de mediano tamaño y color blanco, cocidas con chorizo, morcilla, tocino, jamón, oreja y rabadilla de cerdo. La preparación requiere infinito cuidado, ya que sólo poco a poco va alcanzando su punto exacto. Mucha gente confunde la fabada con el pote o potaje asturiano, que es algo parecido, pero con los añadidos de berza y patatas. La fabada asturiana es todo un poema de infinitos matices y aromas. Requiere, eso sí, calma y tiempo para comerla y también para reposar la digestión.

Pero Asturias tiene su tesoro en pescados. Los de río: excelentes truchas y el rey indiscutible, el salmón (ríos Sella, Cares, Narcea). Personalmente creo que la «caldereta» asturiana es un plato excepcional de cocina, practicada por los marineros (en su origen), que consiste en una muy apetitosa mezcla al ir colocando en una olla profunda pescados de roca, de carne prieta y sabrosa, en estratos o pisos, entrevesados de cebolla picada, pimientos y perejil, todo ello regado con un buen aceite de oliva, cubierto de sidra y hervido a fuego lento. Como siempre, este plato tiene una variedad infinita de preparaciones y complementos, pero la esencia de él suele ser ésta.

Asturias es también la región de España que produce más leche, y eso se nota a la hora de los postres. Quien no ha probado un arroz con leche casero bien cremoso, y coronado por un delicioso azúcar tostado, no imagina la perfección (¡y las horas que tarda en hacerse!) de este popular plato. El capítulo de quesos sería interminable: Gamoneo, Afuega'l Pitu, Casún..., pero la palma —indiscutida— se la lleva Cabrales, semiduro, fermentado, cremoso, de aroma potente y sabor delicado, muy apreciado por los buenos gastrónomos del país y por los de fuera de sus fronteras.

Digamos, rápidamente, que la bebida reina es la sidra natural, producto de inmensas «pomaradas», fresca y saltarina durante el rito del escanciado, lazo entrañable de las largas «es-

pichas», especie de tertulias, donde se ejercita el humor y la amistad, dos de las más importantes cualidades de los asturianos.

EL PAÍS VASCO

Todo el mundo habla sobre la cocina vasca, y todo el mundo está de acuerdo en afirmar que la cocina vasca es la mejor de España.

Para esto es necesario, además de poseer unos elementos culinarios más que suficientes, tener una especial disposición para cocinarlos, una dosis de genio —diría yo—, y eso han hecho los vascos con la carne, las setas, las legumbres y los pescados: volcar su genio e inventar a la hora de prepararlos. Pero es en los pescados donde —creo yo— los vascos han alcanzado la calificación de sublime para su cocina. Y hablemos de descubrimientos culinarios vascos: del bacalao al «pil pil», al que ya nos referimos anteriormente; sería interesante averiguar qué talento desconocido acertó a confeccionar con tan humildes mimbres ese exquisito plato. La cocina vasca es creadora también de los chipirones (calamares) en su tinta, plato que sorprende y asusta a los viajeros que lo ven por primera vez. Pero si se deciden a probarlo se convierten inmediatamente en grandes admiradores de él. E inventaron la exquisita salsa verde, ligera y aromática, que convierte unas simples patatas en refinado manjar, y que alcanza sus mayores cotas bañando una merluza «de pincho», de carne prieta y nacarada, o unas transparentes cocochas de esas que se funden en nuestro paladar, y todo esto con solo ajo, perejil y aceite como ingredientes.

La cocina vasca, de tanta y merecida fama, es una cocina hogareña, sin fastos ni desmesuras, guisada al amor de la lumbre y degustada (con muy buen apetito, eso sí) entre amigos o en familia; es la quintaesencia de la autenticidad, pero una autenticidad sublimada y, caso raro en España, está igualmente cocinada por mujeres (etxekoauches) que por hombres.

De la cocina vasca hay que mencionar el txaugurro, las angulas, el marmitako, las sardinas (asadas, en escabeche o guisadas), las excelentes sopas de pescado, y aplaudir ese resurgir magistral de la cocina más tradicional, sintonizando con la llamada «Nueva cocina», y que en el País Vasco ha alcanzado las más altas cimas de imaginación y síntesis.

Pero no sólo en el pescado son maestros los vascos. Sus carnes bien alimentadas en húmedos y jugosos pastos se prestan a sencillas preparaciones, como las chuletas de Azpeitia, donde el arte del asador consigue prodigios. Hay un componente impar en la cocina vasca, el que liga y perfuma sus salsas. Señores: ha llegado el momento de hacer la loa del ajo, a quien nosotros los españoles deberíamos llamar «el divino ajo».

Porque el ajo no es sólo esa «planta de la familia liliácea, de hojas ensiformes, con flores pequeñas y blancas y un bulto también blanco, redondo y de olor fuerte», de que nos hablan los diccionarios. El ajo es el verdadero riñón —o si prefieren ustedes, el riñoncillo— de la gran cocina española, a la que perfuma y embalsama con su fuerte y tenaz aroma, tantas veces en compañía de otras especies igualmente modestas y agrestes; el ajo, portentoso generador de gustos, que es el florón de la cocina española siempre que se use con parsimonia y cuidado.

CATALUÑA

La cocina catalana está basada en el respeto a la tradición, unido a una cultura profunda. Por lo tanto es siempre refinada, aún en sus más sencillas realizaciones, y está marcada con el sello de una gran personalidad dentro de un contexto de cocina esencialmente mediterránea. Durante siglos se ha ido mejorando la producción de los elementos que en ella intervienen: el aceite (excelente) de oliva, las verduras, las frutas, las aves... Tanto en el litoral —donde se encuentran finísimos pescados— como en el interior del país y en las zonas montañosas, sus habitantes han conservado con tenacidad sus buenas tradiciones culinarias, incluida la repostería, e incluso las han preferido a otras cocinas.

Todas sus salsas, la romesco, la sanfaina, el sofrito y la picada, nos descubren siempre un matiz nuevo, una sorpresa que les dan la «mano» o el gusto de quienes las preparan.

El empleo de productos dulces (ciruelas secas, orejones, pasas, manzanas) combinados con aves y carnes, es también habitual en los platos catalanes, sobre todo en el feraz Ampurdán, y es en esta región donde se utilizan con mayor prodigalidad y tino las hierbas aromáticas. En general todos los «accesorios» mediterráneos están presentes: ajo, aceitunas, piñones, azafrán, clavo, alcaparras, menta, laurel, perejil, pimentón, trufas o cebollas, éstas de una clase especial y de color rojo.

Los productos más notables son las aves, de excelente calidad y muy jugosas; los patos; las almendras de Tarragona, que tostadas o fritas con un pellizco de sal son sabrosísimas; los embutidos (estupendos salchichones de Vic) o las butifarras de la Garriga, que con unas tiernas alubias (mongetes) componen un plato sabroso y muy popular.

El catalán adora, literalmente, las setas, y es un gran experto en ellas; sale en grupos al campo, después de un día de lluvia, a recogerlas, convirtiendo la expedición en una fiesta, para cocinarlas después, en general de manera sencilla, como es el caso de los «rovellons», asados en una placa, regados con un chorro de aceite de oliva y espolvoreados con un ligero picadillo de ajo y perejil. Es un plato suculento.

El bacalao también tiene su importancia en esta región, y existen diversas y sabrosas maneras de prepararlo, ya sea en frío, «exqueixada» (ensalada), o en guisos (a la «llauna», etc.).

Aunque muchos aseguren que en el Mediterráneo se van extinguiendo algunas especies de pescados, aún sobreviven variedades muy finas, como la lubina, salmonete, corvina o los pescados de roca, los más aptos para elaborar la infinita variedad de «suquets» (sopa de pescado) que se hacen a lo largo de toda la costa catalana.

La legumbre fresca tiene también una presencia notable en Cataluña, desde sus habitas tiernas hasta sus «escalivades» (especie de pisto en ensalada), o ese pan «de pagès» frotado con tomate y regado de un buen chorro de aceite de oliva puro —«pa amb tomàquet»—, que constituyen la mejor de las meriendas o son el contrapunto ideal de cualquier sabrosa comida de la tierra.

En materia de dulcería, Cataluña tiene un cierto influjo árabe, donde aceite, canela, huevos, miel, almendra o anís, intervienen en las masas.

Cataluña está en pleno movimiento de recuperación de su más vieja cocina tradicional, pasada por el cedazo de las necesidades y los gustos actuales. Y aquí se han unido posibilidades (despensa), inteligencia y cultura.

LEVANTE

Agrupando gastronómicamente la zona del litoral mediterráneo que va desde la provincia de Castellón hasta Murcia, hay que hablar ante todo e inevitablemente de los arroces, verduras y frutas de esta zona de España, donde parece que el cuerno de la abundancia ha derramado todos sus tesoros desde tiempos en que los árabes introdujeron no solamente el cultivo de naranjas, limones y toronjas, sino la ingeniosa y peculiar manera de regar las huertas (acequias), que convirtió lo que era un erial en un jardín, sistema que a su vez los españoles llevaron —siglos más tarde— a algunos valles californianos que, por cierto, aún conservan. Se ha progresado mucho últimamente en materia agrícola.

El arroz es el plato rey de toda la región, aunque son los valencianos los que tienen la vanidad de que nadie ha llegado a condimentarlo mejor que ellos, ni de más diferentes modos. Con carne, pescado o legumbres solas, es un bocado sabroso y mucho mejor cuanto mayor es la calidad de lo añadido. Este plato tiene la gran virtud de que, por muy espartanos que sean los elementos que lo componen, al estar cocinado con una perfección total es nutritivo y muy grato al paladar. Los valencianos suelen hacerlo —y hay mil formas de prepararlo— a fuego vivo, de llama, sin que se interrumpa el hervor, y con una cuchara de palo plantada en el centro, que es su guía para saber si necesita o no más caldo. Cuando la cuchara se tambalea sin caerse es que ya tiene suficiente líquido. Muy importante es la operación de reposar el arroz, que debe quedar suelto, pero no duro. Entre las variedades más conocidas de arroces está el «arroz abanda», de pescados y mariscos, donde se come el arroz primero y solo, hecho con el caldo de la cocción de todos los ingredientes, que son servidos después y aparte; el «rosejat», en el que se alían un cocido de garbanzos y un arroz; el «arroz de pescadores», con langosta, lenguados, pimientos, tomates y guisantes; el «arroz marinero», con cabeza de merluza y cigalas; el arroz en «gegants i nanos», con nabos y cerdo.

Las paellas son, como todos los platos muy populares, sujetos a numerosas recetas, desde la típica de la Albufera con anguilas, caracoles y judías verdes —que comen los huertanos, alternando cada bocado con una buena dentellada a una cebolleta fresca y picante—, hasta la que mezcla los más diversos ingredientes, pescados, legumbres y carnes, combinados con ese prodigioso arroz que todo lo absorbe y lo potencia; en especial, el arroz de Calasparra, en la vega alta del Segura, aunque no debemos olvidar que Murcia es tierra de fabulosos arroces al caldero.

Un plato muy típico es el «all i pebre», anguilas guisadas con una salsa muy aromática. Enormemente apreciadas son las huevas de mújol, preparadas aún exactamente como hace centenares de años: lavadas en agua de mar, espolvoreadas de sal, vueltas a lavar y puestas a secar al sol. Se toman solas o con guisantes y habas frescas. Lo curioso es que están en camino de convertirse en el caviar español, y eso por la fuerte demanda de estas huevas de mújol que hacen los ricos países musulmanes del Golfo Pérsico, a quienes su religión no permite tomar huevas de esturión.

De entre los pescados: lubina, pargo, salmonetes, boquerones, pejerrey, sardinas, destaca la dorada, hecha al horno a la sal, sencillamente, sin más «adornos» que una gruesa costra de sal. Los langostinos de Vinaroz son —junto a los andaluces de Sanlúcar— los mejores del mundo. Se deben tomar simplemente cocidos, sin borrar ninguna de sus cualidades con salsas innecesarias.

Todo el antiquísimo bienhacer de los huertanos murcianos ha convertido sus campos en un auténtico vergel con los frutos más exóticos y las más exquisitas verduras. Todo crece allí; incluso se dan varias cosechas al año. Eso permite una cocina basada en productos frescos de temporada —muy sabrosa—, donde los platos más humildes preparados con guisantes, habas, tomate, cebolla o pimientos, pueden alcanzar calidades perfectas, tortillas, potajes, guisos, o esos pasteles murcianos que elaboran antiguas pastelerías, como Bonache, los días festivos y que encierran en su fina masa casi de todo: huevos, chorizo, verduras, aves o carne, y son un sólido complemento en las mesas familiares o una sabrosa merienda de tarde de toros.

La constante de esta región española es la (otra vez) profunda huella dejada por los árabes; y eso se observa en los dulces. Pero hay una cosa que no quisiera dejar en el tintero: la de la excepcional calidad de sus frutos. A nadie sorprenderá saber que el 80 por ciento de las mermeladas o frutas confitadas y en almíbar de España se elaboran en Murcia; dulces como el «calabazote» y la batata en dulce; también son famosas las «puntas de diamante» valencianas, leve y etéreo tocino de cielo sólo comparable a los de Grado (Asturias) y a los andaluces. Los zumos de limón, naranja, albaricoque, tomate o piña, están hoy día bien comercializados y son de excelente calidad.

Valencia y Alicante tienen la gloria de sus turrones y helados. Esos famosos turrones bien conocidos fuera de España, hechos a base de almendras, avellanas, miel y coco. Repito que aquí volcó todos sus dones la diosa de la abundancia, pero son sus hombres, trabajadores, tenaces y constantes, que no se han dormido en los laureles, los que han hecho fructificar, gloriosamente, esa enorme y fértil huerta.

GALICIA

Galicia, tierra ubérrima, ha sufrido, al igual que otros pueblos celtas, como es el caso de Irlanda, hambres históricas, y resulta algo paradójico pensar que donde hay tanta abundancia y calidad haya ocurrido esto. Una serie de factores históricos y sociales han propiciado esta situación, hoy felizmente superada.

La cocina gallega nunca fue una cocina muy elaborada, de recetas complicadas. Los elementos principales son el cerdo (pote y lacón con grelos), la lamprea, el pulpo, las vieiras, los berberechos, las sardinas..., guisados solos o en empanada, que es la ingeniosa y gran solución gallega para preparar infinidad de productos. Existe un peculiar condimento gallego que «va» con todo, en especial con los pescados: la «ajada», aceite, pimentón y ajos sofritos con mucho tiento, y que se usa en infinidad de preparaciones.

El caldo o pote gallego es un alimento de diario que hierve continuamente en las cocinas campesinas. Con cerdo, berza y unas finísimas patatas —los cachelos—, que consiguen el milagro de convertirse en protagonistas de todos los platos donde intervienen.

Pero el lujo máximo de la despensa gallega son sus pescados; merluza, rodaballo, mero, lenguado, rape, bonito, besugo, o el excelente reo, el salmón y las truchas y más aún sus mariscos: ostras de Arcade, consumidas desde los tiempos del Imperio romano, y con cuyas conchas se construyó la muralla de Lugo, hoy día felizmente restaurada y devuelta a su original belleza; mejillones, nécoras, almejas, zamburiñas, percebes, cigalas, langostas, y esas vieiras que son un símbolo universal de los peregrinos del Camino de Santiago.

Queda por mencionar la carne gallega. La carne roja (aquí la volatería es excelente) era hasta hace poco un plato exótico en casi toda España, sobre el que se sabía muy poco, y menos aún la raza de las reses de las que procedía. Pero los tiempos han cambiado dichosamente, y ha llegado la hora de distinguir entre una carne y otra, y de colocar en su merecido lugar a ese ganado «marelo» gallego, cuya producción es muy importante.

Y en cuanto a los postres, Galicia ofrece una variedad de frutas delicadísimas: ciruelas claudias, pavías, melocotones, mirabetes, higos, peras, manzanas (de infinitas variedades), cerezas, nueces, avellanas, castañas... Es muy notable la diversidad gallega en cuanto a flora, que es debida a algunas zonas de microclima particular casi tropical. La producción de quesos, algo industrializada para la exportación, sigue siendo artesanal en el interior del país; quesos de tetilla siempre sorprendentes y distintos, por esa misma condición artesana, y los San Simón, La Illana, Cehero, Ulloa...

Pero la estrella de los postres galaicos es la «filloa», esas finísimas «crêpes» transparentes, que son el orgullo de las buenas cocineras y la delectación de los comensales. Nadie puede imaginar una comida en Galicia sin beber un fresco y frutado albariño, o un potente y rojo Ribeiro, y para terminarla, el clásico aguardiente de orujo, bien sea solo o en unas gotas sobre el café, o en la cada día más popular «queimada».

Este orujo gallego se obtiene por destilación del bagazo, o desecho del mosto de vino del país; y como cada destilador tiene su sistema (y su paciencia) los resultados son variadísimos; desde un alcohol salvaje y de alta graduación hasta uno de aroma delicado y frutal, que remata la mejor comida con broche de oro.

CANTABRIA

Quisiera detenerme unos instantes en la gastronomía cántabra, que aunque tiene algunos platos parecidos a los de las regiones que la rodean posee una cierta personalidad digna de subrayarse. La más notoria es que desde finales del siglo XIII aquí se ha cocinado con aceite de oliva, y eso marca una diferencia notable con Asturias, Vizcaya y Castilla, donde hace nada más que cuarenta años se utilizaba casi siempre manteca de cerdo para cocinar. Esta peculiaridad se debió a que en el año

1248 fueron marinos cántabros —en la guerra de la Reconquista y a las órdenes del Rey Santo— los que rompieron el bloqueo del puerto de Sevilla, y desde entonces, en un principio por mar y más tarde por tierra, no ha cesado el fluir (¡fascinación del sol!) de los montañeses emigrantes —los llamados jándalos— a Andalucía, que a su vuelta trajeron entre otras costumbres (el amor por los balcones floridos y las rejas) la afición a comer fritos. Esa es la explicación de por qué en el escudo de Santander aparece la Torre de Oro, una nao y unas cadenas rotas y..., de por qué se fríe tan bien en cualquier valle cántabro.

Pero los montañeses, que tan buenos elementos gastronómicos tienen en su tierra —pescados, mariscos, carnes, verduras, frutas y leche— han sido unos empedernidos viajeros y emigrantes, y de cada viaje han ido trayendo los gustos adquiridos en ellos, como el café y el chocolate, que hoy día se siguen consumiendo en cantidades astronómicas y casi como un rito.

También esta tierra fue invadida, desde el siglo XVIII, por gentes pacíficas: familias que venían de Bélgica y Holanda a trabajar en fábricas textiles o de minerales, y más tarde vinieron suizos y franceses para asuntos de ganadería. Estas familias se mezclaron con las autóctonas, dieron lugar a nuevos usos más europeos, de ahí la enorme variedad de quesos en especial los de nata —finísimos—. Los mejores son de la Cavada, donde Carlos III instaló a varias familias valonas, o el Picón de Treviso, en los Picos de Europa. O los postres: quesadas, bizcochos hojaldres leves y crujientes, o el uso de la leche y la mantequilla en la cocina, cosa inhabitual en España.

Los ríos de sus montañas esconden tesoros: el salmón que a veces nos asusta porque creemos que se termina y vuelve (¡sobre todo en cuanto dejan de contaminar su río!), y las truchas. Todas ellas son truchas de alta montaña, de aguas batidas y a veces tumultuosas. Son truchas pequeñas y de carne blanca, muy lejos de la carne asalmonada, pesada y tonta de la trucha «arco iris» —en mala hora importada de los Estados Unidos— y, por supuesto, sin ningún parentesco con las abominables truchas de piscifactoría. Estas truchas son sabrosísimas, sencillamente fritas en aceite de oliva, sin torreznos ni zarandajas, comidas allí mismo, en cualquier sitio a la orilla del río.

Pero también en la carne tiene Cantabria su especialidad. Es una carne escasa, de vaca «tudanca» (la raza del país), y tan delicada que es un milagro que sobreviva. Animal de color grismalva y cuernos en forma de lira, que tiene una carne oscura, tierna y muy sabrosa. Por estos valles con pequeños microclimas de temperaturas suaves, no es raro encontrar huertos de naranjas y limoneros. Sus pescados y mariscos son, como todos los del Cantábrico, de una gran calidad; pero en la bahía de Santander se encuentran todavía almejas y cigalas muy finas que no salen casi nunca —por su escasez— a los mercados del interior. Las sardinas y bocartes (del Sardinero) siguen siendo con los magamos (calamares diminutos), cuando son auténticos y no de otros mares, un bocado exquisito y buscadísimo.

EL VALLE DEL EBRO — LA RIOJA

El río Ebro, que nace en Cantabria, no es sólo una divisoria natural de esta península, la Ibérica. Es también la línea en la que se unen culturas y sociedades del Oeste al Este, al Sur y al Norte de nuestro más importante cauce fluvial. Castilla, Navarra, Aragón, Cataluña, y casi, casi, Valencia. Es evidente que en ambos márgenes y a lo largo del río, la cocina es diferente. Pero, ¿se ha detenido alguien a pensar que se podrían reunir en una suculenta síntesis las cocinas de todo el Ebro? Esta región existe y su cocina es admirable. Es la riojana, que tiene un poco de todas sus vecinas. Pimientos del piquillo, caparrones —tiernas y sabrosas alubias pequeñas, criadas en altos puntales de madera de chopo— corderos lechales, ¡esos espárragos!, frutas naturales (y en almíbar), patatas con chorizo y todo ello regado por ese vino, gloria auténtica de esta zona, el rioja, producto de unas tierras ásperas y duras que, bien cuidadas, agradecen ese mimo, ofreciendo lo mejor de sus entrañas.

CASTILLA

Dejando de lado las divisiones oficiales se pueden estudiar conjuntamente: León, Zamora, Salamanca, Valladolid, Palencia, Burgos, Avila, Soria, Madrid... como la zona por excelencia de los asados.

Estas tierras, que son las menos privilegiadas en cuanto a vegetación y huertas, fundamentan su cocina en legumbres secas —garbanzos, alubias, lentejas— y en carnes o embutidos que proceden generalmente de dos fuentes: el cerdo y el cordero. El buey, ese lujo de los países ricos, apenas era conocido hasta hace no muchos años, y aun así se le conocía —y todavía se le conoce— con el nombre de vaca.

Además de sus guisos típicos (olla podrida de Burgos, chanfaina, calderillo, farinatos de Ciudad Rodrigo), donde las carnes o embutidos y legumbres son los elementos básicos, hay algunas variantes curiosas como el hornazo charro (de la Alberca, Salamanca), enorme y redondo pastel de masa abizcochada, tostado y crujiente por fuera, que guarda en su interior el impagable tesoro de sus grandes trozos de jamón, de lomo, de chorizo, e incluso algunas veces de huevos y aves.

En cuanto al cordero lechal asado, hay pocos platos hispánicos que lo igualen. Corderos de Sepúlveda, Burgos, Aranda, Covarrubias, Peñafiel, Salas de los Infantes, Lerma, Segovia, Soria o Logroño, corderos —de pocos meses— o esos otros alimentados con espliego y tomillo, y que deben comerse en todo

caso antes de cumplir un año. Asados en horno grande, de los llamados de pan, con lumbre de sarmientos, una pizca de sal y un suspiro de aceite o tocino y colocados dentro de una cazuela de barro. Ahí, lentamente, utilizando la «vista» con ese sexto sentido que Dios dio a los asadores, se consigue —sin más aliños— un bocado inolvidable.

Por estas tierras abunda la caza: conejos y perdices sobre todo que, bien estofados o en escabeche, «amueblan» las despensas en los inviernos largos y de escasez.

Madrid, castellana y manchega a la vez, con su tremenda fuerza generadora de costumbres y apetencias sigue, pese a su enorme crecimiento, conservando sus más típicas costumbres culinarias. Nadie ha dejado de comer un buen cocido, ni unas sopas de ajo hechas con buen pan y buen aceite. Es un dato curioso el de que existe una receta de esta sopa de ajo cuyo autor (más bien transcriptor) fue Alejandro Dumas, que la describe de manera perfectamente clásica, excepto en que se le olvida mencionar el pimentón que —con el ajo— le da salero y gracia a esta modesta sopa, que sólo tiene como ingredientes, agua, rebanadas de pan y huevos escalfados. En Madrid, el cocido es un plato que tiene varios grados o categorías. Desde el elemental, con garbanzos (a ser posible de Fuentesaúco), carne, tocino y patatas, hasta el más complejo y rico que tiene además: jamón, chorizo, morcilla, gallina, verdura y el «relleno» (especie de croqueta) hecho con tocino, pan rallado, perejil, huevo y especies. Es un plato cómodo; se hace solo, despacito y aún en estos tiempos de prisas en que nadie quiere complicarse la vida, se puede uno «olvidar» de él en un rincón del fuego durante horas y estará bien sabroso a pesar de todo. Eso sí, ¡nada de olla exprés, por favor! El caldo resultaría clarucho y sin gracia. Los viejos madrileños lo toman en varios «vuelcos», primero la sopa, y después y por etapas los componentes sólidos.

Hace muchos años que un gran poeta, Agustín de Foxá, calificó a Madrid de «Sucursal del Océano», y es cierto que durante muchos años estuvo bien aprovisionada por arrieros (generalmente maragatos) que hacían a gran velocidad su ruta con reatas larguísimas, aprovisionándose por los caminos en pozos de nieve que les ayudaban a llegar desde las costas con sus pescados más o menos intactos. Hoy día, con aviones y una verdadera flota de camiones que salen de todos los puertos del litoral, el madrileño ve colmadas sus esperanzas; en pocos sitios se encuentra la variedad y cantidad de mariscos y pescado como en Madrid.

Los callos, una constante europea (Caen, Lyon, Suiza), tienen carta de ciudadanía siempre con la coletilla de «a la madrileña»; es un plato sabroso y picante que incluyen en su menú, desde la más modesta tasca hasta el restaurante más encopetado.

Y de postres, los más mentados son las torrijas, rosquillas de la tía Javiera, tortas o listas según estén bañadas de azúcar o no, y los «huesos de Santo», buñuelos de viento rellenos de cabello de ángel, puré de castañas, yema, chocolate o café. Dulces todos que tienen su apogeo en los días de fiestas tradicionales, porque Madrid, tan internacional en muchas cosas, tiene un rincón de su corazón donde cultiva esos gustos sencillos, pueblerinos y nada cortesanos.

EXTREMADURA

Y termino esta breve exposición aludiendo a una región, Extremadura, donde se cría el producto cárnico por excelencia de toda la cocina española: el cerdo ibérico. Totem culinario, animal de piel oscura y carne peculiarísima, cebado en las «montaneras» con las sabrosas bellotas de inmensos encinares que dan a su carne ese perfume, esa textura y ese sabor incopiable que permite criar los exquisitos jamones que tanta fama le han dado, curados en sus altas montañas, envueltos en sal y vigilada su evolución con auténtico mimo. Montánchez en Extremadura, Trevélez y Jabugo en Andalucía, nombres mágicos y sugerentes para cualquier gastrónomo español, son a veces un sueño inalcanzable porque —como siempre— la gran calidad tiene su precio.

Quisiera que de todo este mosaico variopinto de cocinas, platos y condimentos, sacaran una sencilla conclusión. Los viejos países con peso cultural tienen que poseer una antigua y propia cocina y eso por imperativos históricos; pero quizá la voz del gran escritor Günter Grass lo exprese mejor que yo:

«... Cuando el tocino chirrió sobre piedras al rojo
y la sangre revuelta se hizo pastel,
venció el fuego a lo crudo
hablamos, como hombres, del gusto.
Nos traicionó el humo
Soñamos con el metal
y comenzó (como un presentimiento solo) la Historia»

AGRADECIMIENTOS
Nos place comunicar al lector nuestro agradecimiento a los restaurantes Orotava, Vía Veneto, Guria y Sherif, de Barcelona; El Vivero, de Sitges y Can Cortés, de Sant Cugat del Vallès, por la colaboración prestada en la confección de las recetas fotografiadas, así como a la firma Sánchez Romero Carvajal - Jabugo, S.A., por su gentileza en la ornamentación del bodegón de jamones y embutidos de su especialidad.

Tradición y vitalidad

Las nuevas generaciones de españoles están haciendo, con general sorpresa, un inesperado descubrimiento: la cocina nacional. Como siempre en España, este descubrimiento ha sido propiciado por la creciente atención hacia las raíces populares que sostienen toda nuestra cultura. Apenas había en España una gastronomía «oficial». Pero en cada rincón de la península, bajo apariencias modestas que ocultaban tradiciones milenarias, conocimientos transmitidos de generación en generación, florecían cocinas regionales, y aún locales, plenas de vitalidad. Su inventario, una empresa del más alto interés cultural, es una tarea apenas esbozada, y para la cual cada vez queda menos tiempo. La avalancha del turismo europeo de masas, con sus inevitables secuelas de «tipismo gastronómico», ha estado a punto de consagrar una monumental falsificación. Pero se ha impuesto, para estupor de muchos, la rica diversidad de una cocina y una bodega en las que triunfa la autenticidad de lo nativo, de lo natural.

Sopas, legumbres, potajes

Gazpacho andaluz

Ingredientes:

1 pimiento
Tomates
1 pepino
Miga de pan mojada
1 diente de ajo
Aceite y vinagre
Sal y pimienta

1. Se tritura el pimiento (sin semillas), el tomate y el pepino. Añadir la miga de pan, y dejar en el refrigerador una o dos horas.
2. Se prepara una salsa machacando el ajo y añadiendo aceite, sal, pimienta y vinagre. Añadirla a las hortalizas trituradas, y verter 3/4 de litro de agua.
3. Se mezclan bien todos los ingredientes y se pasan por el colador. Servir en recipientes individuales. Acompañar, en platitos aparte, con pimiento, pepino, tomate y cebolla, bien picados, y con cuadraditos de pan.

Consomé al jerez

Ingredientes:

Huesos de buey
Huesos de pollo
1 cucharada de carne picada
Zanahoria, puerro y apio
Cebolla
Laurel
1 clara de huevo
Jerez seco
Sal

1. Cocer los huesos y las legumbres en una cacerola de mucho fondo, durante 3 o 4 horas, a fuego muy lento. Espumar cuando sea necesario.
2. Añadir una cucharada de carne picada, cocer unos momentos más, y separar del fuego. Añadirle sal.
3. Añadir la clara de huevo, y volver a poner al fuego hasta que hierva. Entonces, poner unas cucharadas de agua fría, retirar del fuego, y colar a través de un puñado mojado.
4. Servirlo muy caliente, en tazas individuales, con unas cucharadas de jerez seco.

Sopa de pescado

Ingredientes:

1 kilo de congrio
Cigalas o langostinos
200 gramos de mejillones
1/2 taza de arroz
2 cucharadas de salsa de tomate
1 cebolla
Ajo
Perejil
Pimentón
Aceite
3 cucharadas de vino blanco
Pan frito
Sal

1. Se cuece el congrio con un trozo de cebolla, un diente de ajo, una rama de perejil y sal. Se cuela el caldo.
2. Se ponen los mejillones en una cacerola y se calientan hasta que se abran. Se cuela el caldo. Se hierven las cigalas.
3. Se añaden los mejillones y las cigalas y su caldo al caldo del pescado. Se hace hervir y se le añade la salsa de tomate. Se verifica la sazón, y se hace hervir durante 15 minutos.
4. Se añade el arroz y se deja cocer durante 40 minutos.
5. Se pica media cebolla, un diente de ajo, perejil y pimentón, se refríe y se añade a la sopa. Se le añaden trocitos de pan frito.

Sopa de ajo castellana

Ingredientes:

Pan
2 dientes de ajo
2 huevos
Aceite
Pimentón
Sal

1. En una olla, se pone a hervir un litro de agua con sal.
2. Se machacan los ajos en el mortero y se les añade un chorro de aceite y pimentón al gusto. Se agrega todo al caldo anterior.
3. Cuando rompe a hervir, se añade el pan cortado en rebanadas finas y los huevos ligeramente batidos. Se tapa la olla, se retira del fuego y se deja al calor durante 10 minutos.

Porrusalda

Ingredientes:

4 puerros
3 patatas
Laurel
2 dientes de ajo
4 cucharadas de aceite
1/4 de kilo de bacalao
Pimienta

1. Se desala el bacalao, se coloca en medio litro de agua. Cuando hierva, se retira, reservándose el caldo. Se quitan las espinas del bacalao y se deshace.
2. Tras sofreír los ajos en una cazuela con aceite, se retiran y se colocan en un mortero. En el mismo aceite se rehogan los puerros cortados en trozos. A continuación se echan las patatas también en trozos. Se rehoga bien el conjunto y se añade el bacalao, un poco de agua hirviendo, el laurel y los ajos machacados con pimentón y un poco de caldo. Se salpimenta.
3. Se deja cocer la cazuela por espacio de una hora y se sirve.

Sopas, legumbres, potajes

Menestra a la bilbaína

Ingredientes:

1 pollo
200 gramos de lomo de cerdo
150 gramos de lomo embuchado
200 gramos de jamón
12 alcachofas
1/2 kilo de patatas nuevas
1/4 kilo de tomate
1/2 kilo de guisantes
1 manojo de espárragos
1 lechuga
4 puerros
1 zanahoria
150 gramos de setas
1 cebolla
Vino blanco
1 tazón de caldo
3 huevos cocidos
Harina
Aceite
Sal y pimienta

1. Se limpian las alcachofas, los espárragos, la lechuga y los puerros y se cuecen en agua caliente con sal. A medida que se van cociendo, se escurren y se reservan.

2. En una gran sartén con aceite se fríen el jamón, cortado en lonchas, y el lomo, cortado. Una vez fritos se pasan a una gran fuente.

3. En el mismo aceite se fríe el pollo, limpio y troceado, y cuando ya está bien dorado se pasa también a la fuente.

4. Siempre en el mismo aceite, se doran la cebolla, bien picada, y la zanahoria, también picada. Cuando ya estén doradas, se añade el tomate, pelado y cortado, y se deja freír unos minutos. Se agrega una cucharada de harina, un chorro de vino blanco y un tazón de caldo, y se sazona con sal y pimienta. Cuando esta salsa esté a punto, se pasa por un pasador muy fino y se vierte sobre las carnes.

5. A continuación se cuecen en la misma sartén las setas, y, luego de unos minutos, se añaden las patatas, cortados en daditos, y los guisantes.

6. Con la lechuga y los puerros anteriormente cocidos se forma una bola, que se reboza y se fríe. Las alcachofas se parten por la mitad. Se ponen todas las verduras en la misma fuente con las carnes, y se cuece todo junto durante unos minutos. Antes de servir se adorna con huevos duros en rodajas y con espárragos.

Alcachofas con jamón

Ingredientes:

12 alcachofas
Aceite
100 gramos de jamón
1/4 de kilo de guisantes desgranados
2 cucharadas de harina
1 limón
Sal

1. Se pone un litro de agua caliente en una olla, se le echa el jugo del limón, una cucharada de aceite y sal. Se ponen dentro de este líquido las alcachofas.

2. Se pone la olla al fuego y se añade la harina desleída en un poco de agua fría, revolviendo con una cuchara de madera hasta que comience a hervir. Se deja cocer durante 30 minutos. Las alcachofas deben poderse atravesar con un alfiler.

3. Se escurren las alcachofas y se ponen en una cacerola.

4. En una sartén se rehoga el jamón, cortado en trocitos, en algo de aceite. Antes que llegue a dorarse, se vierte todo sobre las alcachofas.

5. En una olla se cuecen los guisantes, y se añaden a las alcachofas, junto con algo de su caldo. Se sazona todo con sal y se deja hervir unos minutos hasta que esté todo tierno y en su punto.

Pisto

Ingredientes:

1 kilo de calabacines
1/2 kilo de berenjenas
1/4 de kilo de pimientos verdes
3/4 de tomates maduros
1/2 kilo de cebollas
3 huevos cocidos
Aceite y sal

1.   En una cacerola con 6 cucharadas de aceite, freír la cebolla, picada fina. Cuando esté dorada, añadir los tomates, pelados y picados. Rehogar 10 minutos.
2.   Pelar los calabacines y las berenjenas, y cortarlas en cuadraditos. Cortar en trozos los pimientos. Añadir todo esto a la cacerola y rehogar otros 10 minutos. Luego, tapar la cacerola y dejar cocer a fuego lento hasta que todo esté tierno.
3.   Servir en una fuente o cazuela de barro, adornando con mitades de huevo duro.

Berenjenas al horno

Ingredientes:

1 kilo de berenjenas
Pan rallado
Aceite
Ajo
Perejil
Sal

1.   Se pelan las berenjenas y se cortan por la mitad. Se ponen a remojar en agua con sal durante 30 minutos. Se escurren y secan con un paño.
2.   En una sartén, se echa aceite y se rehogan las berenjenas. Se pasan a una fuente.
3.   Se mezcla el pan rallado con ajo y perejil picados, y se espolvorea la mezcla sobre las berenjenas. Se riegan luego con el aceite donde se rehogaron.
4.   Se ponen las berenjenas al horno y se mantienen en él hasta que estén doradas.

Guisantes con jamón

Ingredientes:

1 kilo de guisantes desgranados
2 zanahorias
150 gramos de jamón
2 cebollas
Ajo (1 diente)
Perejil (1 rama)
Pimientos para guarnición
Sal

1.   Los guisantes se deben cocer en una cacerola esmaltada de aluminio.
2.   Se pone agua abundante a hervir, y, cuando el hervor sea fuerte, se añaden los guisantes, se sazona con sal y se cuecen sin tapa durante 30 minutos y a pleno hervor. Se comprueba si están hechos aplastando un guisante entre los dedos. Se escurren.
3.   Se pican finamente la cebolla y las zanahorias, y se fríen ligeramente en una olla. Cuando comiencen a dorarse, se añade el jamón, previamente cortado en trocitos. Se rehoga un poco y se añaden los guisantes.
4.   Se agrega un poco de caldo o de agua y se tapa muy bien (puede interponerse un papel entre la tapa y la olla). Se deja cocer a fuego lento, añadiendo unos trozos grandes de cebolla, un diente de ajo y una rama de perejil.
5.   Se revuelve con una cuchara de vez en cuando, cuidando de no aplastar los guisantes. Cuando estén completamente tiernos, se quitan los trozos grandes de cebolla, el ajo, el perejil, y se sirve acompañado de tiras de pimiento.

Sopas, legumbres, potajes

Cocido madrileño

Ingredientes:

1/2 kilo de garbanzos
Chorizo
Tocino
Morcilla
1/2 kilo de morcillo de vaca
1 pechuga de gallina
1 hueso de jamón
12 patatas
1 repollo
4 dientes de ajo
Azafrán y pimentón
1 tacita de arroz o fideos
Aceite y sal

1.   Dejar en remojo los garbanzos durante toda la noche.
2.   En una olla con agua fría, poner las carnes. Cuando hierva, añadir los garbanzos. Añadir sal, y dejar cocer a fuego suave durante 3 horas. El agua debe cubrir el guiso durante toda la cocción, por lo que deberá añadirse cada vez que sea necesario.
3.   Cocer aparte el chorizo y la morcilla, hasta que estén tiernos.
4.   Picar el repollo, y cocerlo, aparte también, en agua y sal. Luego, en una cacerola con aceite caliente, dorar 2 dientes de ajo, echar un poco de pimentón, y rehogar bien el repollo cocido previamente.
5.   Cuando los garbanzos empiecen a estar tiernos, añadir las patatas, enteras. Sazonar con ajo machacado y una pizca de azafrán. Dejar cocer hasta que las patatas estén tiernas.
6.   Terminada la cocción, sacar el caldo, y cocer en él los fideos o el arroz. Servir esta sopa como primer plato.
7.   En una fuente, servir el cocido, acompañado con el chorizo y la morcilla. Servir el repollo aparte, en otra fuente.

Escudella i carn d'olla

Ingredientes:

150 gramos de judías blancas
1 hueso de jamón
1 cebolla
1 col pequeña
100 gramos de tocino entreverado
100 gramos de oreja o morro de cerdo
2 patatas grandes
75 gramos de arroz
75 gramos de fideos gruesos
100 gramos de butifarra negra
Sal y pimienta

1.   Se dejan las judías en remojo durante una noche.
2.   En una cacerola se pone un litro y medio de agua, junto con el hueso de jamón, el tocino, la oreja. Se escurren las judías y se agregan. Se salpimenta.
3.   Se pone al fuego y se hace hervir. Se cuece a fuego lento, suavemente, durante hora y media.
4.   Se añaden la col y las patatas, previamente cortadas en trozos pequeños. Se vuelve a hacer hervir y se mantiene a fuego lento durante 10 minutos.
5.   Se añaden el arroz y los fideos, así como la butifarra. Se vuelve a hacer hervir y se mantiene la cocción hasta que el arroz está hecho.
6.   Se verifica la sazón y se sirve.

Cocido gallego

Ingredientes:

1/2 kilo de garbanzos
1 gallina
3 chorizos
1 morcilla
Grelos
Patatas
2 huevos
Miga de pan
Leche
Ajo y perejil
Sal

1.   En una olla grande, con dos litros de agua fría, se cuece la gallina, ya troceada. Cuando rompa a hervir, se agregan los garbanzos (remojados de la noche anterior), se sazona con sal, y se deja cocer 2 horas, a fuego lento.
2.   Se añaden el chorizo, la morcilla y los grelos, y, 30 minutos más tarde, las patatas, en trozos grandes.

Pote gallego

Ingredientes:

Alubias blancas
Lacón
Tocino añejo
Manteca de cerdo
Berza
Patatas grandes
Ajo
Sal

1.   Dejar en remojo durante la noche las alubias (en agua fría) y el lacón (en agua templada).
2.   Poner a cocer, en una olla con abundante agua fría, las alubias, el lacón y el tocino. A media cocción, añadir las berzas, picadas. Cuando las alubias ya estén blandas, añadir las patatas, cortadas en trozos grandes.
3.   Derretir manteca de cerdo en una sartén y freír el ajo. Añadirlo a la olla. Sazonar con sal y dejar cocer una hora más. El pote debe quedar bastante caldoso.

Sopas, legumbres, potajes

Fabada asturiana

Ingredientes:

600 gramos de judías blancas, especiales para fabada
200 gramos de lacón curado
Chorizo
Morcilla
Azafrán
Sal

1. Dejar las judías en remojo durante toda la noche.
2. Poner a cocer las judías, el lacón y el chorizo todo en una cacerola, cubriéndolos con agua fría. Añadir agua fría cuantas veces sea necesario, cuidando que el guiso esté siempre cubierto.
3. Pasadas 2 horas, añadir la morcilla, y sazonar con un poco de azafrán y sal. Prolongar la cocción hasta que las judías estén tiernas.

Alubias blancas con chorizo

Ingredientes:

300 gramos de alubias
100 gramos de tocino
200 gramos de patatas
50 gramos de cebolla
2 dientes de ajo
2 chorizos
Aceite
Sal

1. Se remojan las alubias en agua durante 12 horas, se escurren y se les da un hervor. Se vuelve a escurrir.
2. En una cacerola se ponen las alubias y agua hasta que las cubra. Se añade el chorizo y el tocino cortado en trozos. Se cuecen a fuego muy lento de una hora y media a dos horas (depende de la calidad de las alubias), añadiendo agua en pequeñas cantidades si fuera necesario.
3. Se pelan las patatas. Se pica la cebolla y el ajo y se sofríen en una sartén con aceite.
4. Se añaden a las alubias las patatas y el sofrito, y se continúa la cocción hasta que las patatas estén cocidas. Se añade la sal.
5. Si la salsa estuviese muy aguada se machacan algunas alubias para espesarla.

Lentejas con chorizo

Ingredientes:

1/2 kilo de lentejas
Pimentón
1/2 cebolla
Aceite
1 rama de perejil
1 diente de ajo
1 cucharada de pan rallado
Laurel
Chorizo (un trozo por persona)
Sal

1. Se dejan en remojo las lentejas. (El tiempo depende de la calidad y edad de las lentejas, siendo el máximo unas 12 horas.)
2. Se escurren las lentejas y se ponen en una cacerola. Se añaden la cebolla, el laurel, el diente de ajo (picado previamente), el perejil, aceite y pimentón, así como el chorizo.
3. Se cubren los ingredientes con agua fría y se cuecen lentamente, añadiendo agua cada vez que sea necesario, siempre en pequeñas cantidades cada vez. El tiempo de cocción varía según la calidad y el tiempo de remojo de las lentejas.
4. Cuando las lentejas estén blandas, se añade sal y pan rallado. Se dejan cocer de 20 a 30 minutos, y se dejan reposar antes de servir.

Alubias blancas con butifarra

Ingredientes:

*1 kilo de alubias
200 gramos de butifarra
1 cucharada de manteca de cerdo
3 cucharadas de tomate concentrado
1 vasito de vino añejo
1 cebolla
1 ramillete de hierbas (perejil, laurel, hierbabuena, etc.)
Nuez moscada
Sal y pimienta*

1.   En una cacerola se ponen una cucharada de manteca de cerdo, la cebolla cortada en trozos, el tomate concentrado, el vino añejo, el ramillete de hierbas y las alubias.
2.   Se cubre todo con agua fría, y se sazona con sal, pimienta y nuez moscada. Se tapa la cacerola y se deja cocer a fuego lento durante 30 minutos, sacudiendo de vez en cuando la cacerola para que las alubias no se peguen.
3.   Se agrega entonces la butifarra (y, si fuera necesario, un poco de agua fría), y se continúa la cocción hasta que las alubias estén tiernas. Antes de servir, se retira el ramillete de hierbas.

Pimientos rellenos

Ingredientes:

*6 pimientos
1/4 de kilo de carne picada
2 huevos
2 cucharadas de miga de pan
1 cebolla
1 zanahoria
4 cucharadas de leche
1/4 de kilo de tomates
1/2 vaso de vino blanco
Ajo
Perejil
Aceite
Sal*

1.   Se pica el ajo, se mezcla con la carne y se deja reposar 15 minutos.
2.   Se pican la cebolla, la zanahoria, un diente de ajo, el tomate y el perejil. Se calienta aceite en una sartén y se echa todo esto en ella, junto con el vino blanco. Se añade sal y se hace hervir al fuego lento. Se pasa por un pasador de puré.
3.   En otra sartén se rehoga la carne en un poco de aceite caliente. Cuando esté algo rehogada, se añade un poco de cebolla picada, se deja rehogar un poco más, y se agrega el pan (previamente remojado en leche y escurrido). Se añade un poco de sal y se revuelve para que no se pegue. Se añaden dos cucharadas de vino blanco y se deja cocer unos minutos, sin dejar de revolver.
4.   Se separa del fuego, se agrega un huevo batido y media cucharada de perejil picado, se revuelve bien y se deja enfriar.
5.   Se quita la piel de los pimientos, asándolos a la plancha. Se vacían, se lavan y se escurren.
6.   Se rellenan con la carne preparada. Una vez rellenos, se pasan por harina y huevo batido, y se fríen en aceite muy caliente.
7.   Se ponen en una cacerola, procurando que queden holgados y se cubren con la salsa. Se hace hervir a fuego muy lento, moviendo la olla de vez en cuando para que no se peguen los pimientos, y pasando la espumadera por debajo de ellos. Se mantiene la cocción hasta que estén blandos. Se sirven en una fuente, con la salsa.

Sopas, legumbres, potajes

Habas a la catalana

Ingredientes:

3 ó 4 kilos de habas tiernas
100 gramos de butifarra negra
100 gramos de tocino
entreverado
Aceite
Manteca
Ajos tiernos
Cebollas tiernas
Una hoja de laurel
Un ramillete de menta
Sal

1.   Se desgranan, se lavan y se escurren las habas.
2.   En una cacerola se sofríen en la manteca y aceite las cebollas, los ajos y el tocino (todos ellos previamente picados). Se añade la hoja de laurel y la menta. Se saltea todo hasta que el tocino comience a dorarse.
3.   Se añaden las habas y se mantienen a fuego lento, con la cacerola tapada, pero revolviendo con frecuencia.
4.   Si las habas son suficientemente tiernas, no es preciso añadir agua (es como mejor queda el guiso). Si no, se echa un poco. Se sazona.
5.   Se cuece hasta que las habas estén blandas y hechas. Se añade la butifarra entera y se mantiene la cocción durante 5 minutos más. Se verifica la sazón.
6.   Se retira el laurel y la menta y se hierve con la butifarra cortada en rodajas.

Olla podrida española

Ingredientes:

200 gramos de carne de buey
200 gramos de carne de cerdo
El cuarto de una gallina
1 trozo de chorizo
1 trozo de jamón
Tocino
1 hueso de cerdo
1 1/2 litro de agua
200 gramos de garbanzos
6 patatas medianas
200 gramos de judías tiernas
Un trozo de calabaza
Sal

1.   Se ponen los garbanzos en remojo y se mantienen así de 12 a 24 horas.
2.   Se hace hervir el agua en un puchero grande. Cuando el hervor es fuerte, se añaden el buey, el cerdo, la gallina, el chorizo, el jamón, el tocino y el hueso de cerdo. Se hace cocer todo, tapado, durante 60 minutos.
3.   Se escurren los garbanzos y se agregan al puchero. Se continúa la cocción durante 30 minutos más y se añade un poco de sal. Se continúa cociendo todo hasta que los garbanzos comiencen a ablandarse. Entonces se añaden 6 patatas, enteras y peladas, y las judías así como la calabaza
4.   Se mantiene la cocción hasta que las verduras estén cocidas (aproximadamente 30 minutos).
5.   Se cuela el caldo y se sirve el resto de los ingredientes. El caldo puede usarse como base para una sopa.

Paella valenciana

Ingredientes:

1 1/2 tacita de arroz por persona
3 tacitas de agua por persona
400 gramos de calamares
200 gramos de jibia
200 gramos de rape
200 gramos de cigalas
200 gramos de langostinos
1/2 kilo de mejillones
1 pimiento rojo
4 tomates
2 dientes de ajo
1 tacita de aceite
Azafrán
Sal

1.   En la paella, se calienta antes el aceite junto con la sal, a efectos de neutralizar su posible acidez.
2.   A continuación se doran los calamares, la jibia, el rape y las cigalas. Se retira todo.
3.   En el mismo aceite se añade el tomate trinchado y el ajo picadito. Se añade una punta de azúcar para neutralizar la acidez del tomate. Rehogarlo hasta que haya eliminado toda el agua.
4.   A continuación se añaden los calamares, la jibia, el rape, las cigalas y el arroz. Se rehoga todo junto un ratito.
5.   Aparte se tendrá el agua correspondiente hirviendo y los mejillones, a los cuales se les habrá dado un hervor para que se abran. Se les quita una de sus conchas.
6.   Cuando todo lo del paso 4 esté rehogado se añade el agua hirviendo y el azafrán deshecho. A continuación los langostinos (que no se habrán rehogado) y el pimiento cortado en tiritas (en conserva o que se habrá cocido aparte). Se dispone todo decorativamente.
7.   Tiempo de cocción: aproximadamente 20 minutos. Depende de la viveza del fuego. Los granos de arroz deben quedar sueltos.

Arroz con almejas

Ingredientes:

1/2 kilo de arroz
1/8 de litro de aceite
1 cebolla
3 tomates
1 kilo de almejas
6 pimientos rojos
3 dientes de ajo
1 rama de perejil
Pimienta negra
Una pizca de azafrán molido
1 papelillo de azafrán en hebras

1.   Se pica la cebolla, se quita la piel de los tomates y se cortan en trozos. Se pican los pimientos.
2.   Se lavan las almejas.
3.   En una cacerola se calienta aceite y se fríen la cebolla, el tomate y 3 pimientos. Cuando estén fritos, se añaden las almejas, revolviendo continuamente hasta que se abran.
4.   Se añade agua, en doble volumen de lo que se añadirá después de arroz. Se sazona y se hace hervir.
5.   Se machaca el ajo, el perejil, la pimienta y el azafrán en hebra. Se añade todo esto, junto con el arroz, a la cacerola.
6.   Una vez cocido el arroz, se espolvorea con azafrán molido. Se retira del fuego y se deja reposar.
7.   Se asan los otros tres pimientos y se cortan en tiras. Se sirve adornado con las tiras de pimiento asado.

En una cocina tan fuertemente regionalizada como la española, los jamones y embutidos unifican el mapa gastronómico nacional. No porque sean idénticos en todas partes. Por el contrario, y gracias a que su elaboración sigue siendo en gran parte artesanal, todavía son inconfundibles un salchichón de Vic, un chorizo de Pamplona, una sobrasada de Menorca, o la morcilla casera de cualquier aldea perdida de Galicia. Pero en toda España se hacen embutidos, y en toda España se hacen bien. Si se atiende al clamor de numerosos entendidos, que a las gustosas razones del paladar añaden argumentos económicos contundentes, pronto existirá una legislación que regule las denominaciones de origen, y que proteja la calidad y diversidad de estos productos como ya se hace con los vinos y los quesos. El jamón se cura también en toda España. Pero sólo es auténtico jamón serrano el que procede del cerdo ibérico, especie única en el mundo, de piel oscura y pata negra, que se cría en Andalucía Occidental, Extremadura y zonas de Salamanca y Avila. Engorda en la montanera de noviembre a marzo, alimentándose únicamente de pastos naturales y bellotas (y de higos al final de la crianza, según los puristas). Los jamones deben secar durante un año y medio por lo menos, sin ningún tipo de manipulación, sometidos a una maduración natural en el clima serrano de las zonas ya citadas. Bajo estas estrictas (y costosas) condiciones, el jamón serrano español es uno de los bocados más exquisitos de la gastronomía universal.

Arroz

Arroz abanda

Ingredientes:

600 gramos de arroz
250 gramos de langostinos o
cigalas
300 gramos de almejas
250 gramos de rape
250 gramos de palometa
250 gramos de raya
250 gramos de calamares
200 gramos de tomate
1/2 taza de aceite
200 gramos de cebolla
2 dientes de ajo
1 ramita de perejil
Laurel
Azafrán
Sal

1.   Se pica la cebolla, se parte
el tomate en trozos (previamente
pelados). Se limpian los
pescados.
2.   En una cacerola se dora en
aceite la cebolla. Se añaden el
tomate, el perejil, el laurel y la
sal. Una vez rehogado todo, se
añaden dos litros de agua.
3.   Se echan las cabezas y
espinas del pescado y se dejan
cocer, hirviendo, durante 30
minutos. Luego se cuela el caldo
y se vuelve a echar en la
cacerola.
4.   Se añaden el pescado,
cortado en trozos, los calamares,
las almejas y los langostinos, y
se deja cocer todo durante 15
minutos. Se retira del fuego y se
cuela el caldo, que se vierte en
una cazuela de barro.
5.   Se añaden el azafrán y el
ajo (previamente machacado). Se
hace hervir y se añade el arroz,
dejando cocer a fuego lento y
muy suavemente durante 20
minutos.
6.   Se sirven el arroz, los
pescados y los mariscos en
fuentes separadas.

Arroz a la alicantina

Ingredientes:

250 gramos de arroz
200 gramos de congrio
200 gramos de calamares
2 tomates
100 gramos de guisantes
3 pimientos verdes
6 alcachofas
2 dientes de ajo
1 vaso de aceite
1/2 litro de caldo
Pimentón
Azafrán
Sal

1.   Se fríen los pimientos y se
reservan. Se pelan y parten los
tomates. Se cuecen y escurren
los guisantes.
2.   En una paellera se calienta
aceite, y se sofríen lentamente
(se utiliza el mismo aceite en
que se frieron los pimientos) los
ajos, los guisantes y las
alcachofas.

3.   Se añade el arroz y el
pimentón. Se disuelve el azafrán
en el caldo y también se añade,
se deja cocer lentamente, y
cuando el arroz está a medio
cocer, se añade el pescado
(en trozos) y el pimiento en tiras
Se deja hervir de 12 a 15
minutos. Se deja reposar
5 minutos antes de servir.

Arroz negro

Ingredientes:

150 gramos de sepia o jibias
300 gramos de almejas,
langostinos y mejillones
300 gramos de arroz
200 gramos de cebolla
200 gramos de tomate
2 pimientos
2 dientes de ajo
1/2 taza de aceite
Sal

1.   Se limpian cuidadosamente las jibias y se reservan las tintas.
2.   En una cazuela se echan el aceite, la cebolla picada, el ajo picado y los pimientos troceados. Se sofríen.
3.   Se hierven los mejillones y se reserva el caldo.
4.   Se echan las jibias, las almejas y los langostinos al sofrito, y se añaden los tomates pelados y limpios. Se sazona con sal.

5.   Con una taza se mide el volumen de los 300 gramos de arroz. Se hace hervir el doble de volumen de caldo que de arroz, y se echa a la cacerola donde están las jibias. Se pone a fuego fuerte y se deja hasta que hierva. Se añaden el arroz, echándolo poco a poco, y los mariscos.
6.   Se aplastan las tintas en un mortero, y se añaden. Se cuece a fuego lento durante 25 minutos, aproximadamente.
7.   Cuando el arroz esté hecho se retira del fuego y se deja reposar 5 minutos antes de servir.

Arroz a la marinera

Ingredientes:

6 pocillos de arroz
1 1/2 kilo de mariscos
(gambas, cigalas, langostinos,
almejas y calamares)

1/4 kilo de rape
1/4 kilo de congrio
1 (o 2) cabezas de merluza
Ajo (3 dientes)
Perejil (2 ramas)
Azafrán
Jugo de limón (1 cucharadita)
Aceite
Sal

1.   Se pone en una cacerola aceite, un diente de ajo, una rama de perejil, la cabeza de merluza y agua. Luego se hace hervir suavemente durante 90 minutos, y se guarda el caldo obtenido.
2.   Se lavan las almejas y se ponen en una olla con algo de agua (poca) al fuego. A medida que van abriéndose, se pasan a otra olla y se reservan. El caldo obtenido se filtra con un paño y se guarda.
3.   En una cacerola amplia o en una paellera se pone el aceite y se calienta. Se fríe un diente de

ajo picado y, cuando éste empiece a dorarse, se añade el pescado y los mariscos. Se rehoga todo.
4.   Se machaca un diente de ajo con una rama de perejil y un poco de agua en un mortero y se añade. Se deja cocer todo durante unos minutos.
5.   Se cuela el caldo de las cabezas de merluza (punto 1 de la receta), se añade al obtenido de las almejas y se vierte en los pescados hasta enterrar once pocillos de líquido (pocillos iguales a los con que se midió el arroz). Si faltase caldo se añade agua. Se sazona con sal.
6.   Se hace hervir y se añade el arroz, revolviendo hasta que vuelva a hervir nuevamente. Se agregan una gotas de jugo de limón.
7.   Se cuece 5 minutos y se remueve un poco. Se deja cocer otros 5 minutos, esta vez tapado. Se aparta del fuego, se destapa y se deja reposar 5 minutos.

Huevos

Huevos a la riojana

Ingredientes:

6 huevos
1/2 kilo de tomates
1/2 kilo de pimientos morrones
1 cebolla
2 dientes de ajo
50 gramos de jamón
1 cucharón de caldo
Pimentón
Aceite
Sal

1.   Se cuecen los huevos, se pelan y se parten en mitades.
2.   Se pican la cebolla y los ajos muy menudo, y se ponen en la sartén con un poco de aceite, a fuego muy suave, sin dejar que se frían. Se añaden el tomate, pelado y cortado en trozos, y el jamón, en cuadritos.
3.   Cuando esté todo frito, se añaden los pimientos, picados, y el caldo. Se sazona con sal y un poco de pimentón.
4.   Se pone la salsa en una fuente y sobre la salsa colocar las mitades de huevo duro, que se adornarán con tiras de pimiento.

Huevos fritos con chorizo

Ingredientes:

8 huevos
2 chorizos
Aceite
Sal

1.   Se cortan los chorizos en 8 trozos.
2.   Se fríen los chorizos en abundante aceite y se reservan al calor.
3.   Se fríen los huevos uno a uno en otro aceite, también abundante. Se sazonan y se sirven acompañados de los chorizos. (Para que los huevos no queden grasientos es conveniente escurrirlos con la espumadera en el momento de sacarlos.)

Tortilla campera

Ingredientes:

4 huevos
6 puntas de espárragos
2 pimientos morrones
100 gramos de guisantes
Aceite
1 chorizo
50 gramos de jamón sin salar
100 gramos de bonito en aceite
Salsa de tomate
Sal

1.   Se corta el jamón en cuadros muy pequeños, el chorizo en rodajas, los espárragos en trozos. Se pican los pimientos y se desmenuza el bonito.
2.   Se cuecen en agua los guisantes y una vez hechos se escurren.
3.   Se rehogan en aceite, durante 5 minutos, el jamón, el chorizo, los espárragos, los pimientos, los guisantes y el bonito, reservando un poco de éste. Una vez rehogado todo se escurre.
4.   Se baten los huevos y se añaden al sofrito, mezclándolo todo bien.
5.   En una sartén se calienta un poco de aceite y se cuaja la tortilla con todos los ingredientes.
6.   Se calienta la salsa de tomate y se le añade el bonito reservado.
7.   Se sirve la tortilla cubierta con la salsa.

Tortilla española

Ingredientes:

8 huevos
400 gramos de patatas
Aceite y sal

1.   Cortar las patatas en rodajitas o cuadritos.
2.   En una sartén, con el aceite ya caliente, freír las patatas a fuego moderado, sazonándolas con sal.
3.   Cascar los huevos, uno a uno, en un recipiente, añadir sal, y batir con un tenedor.
4.   Escurrir el aceite, si hubiera demasiado, y añadir los huevos batidos. Cuajar la tortilla y darle forma, dorándola por ambos lados.

Salsa vinagreta

Ingredientes:

Aceite de oliva
Vinagre
Sal y pimienta molida

1.   Poner en una salsera el vinagre y un poco de sal. Batir bien, hasta que la sal quede diluida.
2.   Añadir a continuación el aceite (las proporciones siempre son las mismas: tantas cucharadas de aceite cuantas hayamos puesto de vinagre), y la pimienta. Remover para mezclar bien todos los ingredientes.

Salsa verde

Ingredientes:

Perejil
Pepinillos en vinagre
1 huevo duro
1 rebanada de pan
Vinagre
Aceite y sal

1.   Picar dos pepinillos, el huevo y un manojo de perejil, lo más finamente posible. Machacarlos en el mortero hasta formar una papilla.
2.   Descortezar el pan, remojar la miga en vinagre, y escurrirla. Añadirla también al mortero, y unirla a los anteriores ingredientes.
3.   Añadir, poco a poco, un vaso de aceite, como para hacer una mayonesa, removiendo suavemente. Sazonar con sal. Esta salsa se utiliza para acompañar carnes cocidas.

Romesco

Ingredientes:

2 cebollas grandes
4 tomates maduros
4 pimientos rojos
3 dientes de ajo
6 almendras tostadas
6 ñoras o guindillas
1/4 de litro de aceite
1/4 de litro de vinagre
Sal y pimienta

1.   Se ponen las ñoras en remojo durante unas horas. Se escurren y se pasan por un pasapuré.
2.   Se asan al horno las cebollas, los tomates y los pimientos. Se machacan y se pasan por el pasapuré.
3.   Se machacan en un mortero los ajos, las almendras. Se mezclan con el puré obtenido de las ñoras, y esta mezcla se añade al puré de las verduras. Se sazona con sal y pimienta.
4.   Se incorpora el aceite y el vinagre batiendo muy bien, hasta obtener un líquido homogéneo.
5.   Esta salsa puede emplearse inmediatamente o conservarse en una botella.

Pescados y mariscos

Almejas a la marinera

Ingredientes:

1 kilo de almejas
1 cebolla
4 dientes de ajo
Vino blanco
Pan rallado
1 limón
Guindilla
Perejil
Aceite y sal

1. Lavar bien las almejas en agua fría. Ponerlas unos minutos a fuego vivo, en una cazuela con una taza de agua, para que abran. Quitarles una de las conchas, y pasarlas a una cacerola o una cazuela de barro. Colar el agua de la cocción.
2. En una sartén con un poco de aceite, freír la cebolla y el ajo, bien picados. Rehogar bien, y añadir el caldo de las almejas, un vaso de vino blanco, zumo de limón, y unos trocitos de guindilla. Dejar que esta salsa hierva un momento; añadir pan rallado si resultara demasiado clara.
3. Verter la salsa sobre las almejas, y dejar cocer despacio durante 15 minutos. Sazonar con sal, y servir bien calientes.

Salmonetes a la parrilla con mayonesa

Ingredientes:

6 salmonetes
1 vaso de aceite
El jugo de un limón
Pan rallado
Mayonesa
Sal

1. Se limpian y desescaman los salmonetes. Se lavan y secan.
2. Se pone el aceite y el limón en una fuente. Se salan ligeramente los salmonetes tanto por fuera como por el interior, y se dejan marinar 2 horas, dándoles vuelta de vez en cuando.
3. Se sacan de la marinada, se pasan por pan rallado y se meten al horno, previamente caliente, sobre una parrilla untada con aceite. Cuando estén dorados por un lado, se les da vuelta. (La cocción total suele durar 45 minutos.)
4. Se sirven en una fuente con la mayonesa en una salsera.

Vieiras a la gallega

Ingredientes:

18 vieiras
1 cebolla grande
1 vaso de vino blanco seco
100 gramos de harina
5 dientes de ajo
Perejil
Aceite y sal

1. Lavar y raspar las vieiras. Ponerlas en un plancha sobre el fuego para que se abran y seguidamente quitarles la valva que las tapa, que se guarda.
2. Ponerlas en un colador y sumergirlas dos o tres veces en agua hirviendo. Escurrirlas bien y pasarlas por la harina. Freírlas en aceite bien caliente, que se guarda aparte. Se las pone en una cazuela, cubriéndolas con caldo o agua, añadiéndoles el vino. Hervirlas a fuego lento unos 5 minutos. Una vez hervidas reservar el caldo, ponerlas en una fuente de hornear y guardarlas calientes.
3. Hacer un picadillo con la cebolla, el perejil y el ajo, que se rehoga con el aceite de las vieiras; seguidamente añadir el caldo con que se han cocido las vieiras y dejarlo a fuego lento el tiempo suficiente para que espese. Pasarlo todo por un pasapuré. La salsa no debe quedar clara.
4. Cubrir las vieiras con esta salsa, sazonándolas con una punta de sal, al gusto. Ponerlas en el horno a fuego muy suave durante unos 5 minutos. Pueden servirse en la misma fuente de hornear.

Mejillones en vinagreta

Ingredientes:

1 kilo de mejillones
Salsa vinagreta
Sal

1. Se limpian y quitan las barbas de los mejillones.
2. Se ponen en una olla con un vaso de agua y un poco de sal, a fuego fuerte hasta que se abran. Se les quita una de las conchas, se escurren y se dejan enfriar.
3. Se echa un poco de salsa vinagreta en cada concha, y se sirven.

Pescados y mariscos

Caldereta de langosta

Ingredientes:

1 langosta de un kilo
2 docenas de almejas
4 nécoras
600 gramos de gambas
1/2 botella de champagne
1/4 de kilo de tomates
4 dientes de ajo
1 cebolla
2 huevos
Salsa picante
Perejil
Aceite y sal

1.   Abrir las almejas, sacarlas de sus conchas y guardar el jugo.
2.   Poner la langosta viva en agua hirviendo dos o tres minutos, y partirla por la mitad; quitarle las patas y las pinzas, trocear la cola y abrir la cabeza por la mitad, sacándole la bolita de grijo. Reservarlo todo.
3.   Picar finamente la cebolla y freírla en una cazuela (mejor en caldereta de hierro); cuando esté dorada añadir los tomates pelados y partidos, los ajos y un manojito de perejil machacados en el mortero. Rehogar.
4.   A continuación añadir las nécoras vivas partidas por la mitad, las almejas con su jugo, las gambas peladas y la langosta con todo lo que hemos reservado. Completar con el champagne, sal y salsa picante al gusto. Cocer 20 minutos. Se sirve en la misma caldereta.

«Caldeirada» gallega

Ingredientes:

250 gramos de congrio
250 gramos de rape
250 gramos de mero o de merluza
3 cucharadas de vino blanco
2 cebollas
3 dientes de ajo
Media hoja de laurel
Perejil
Aceite
Trozos de pan tostado
Vino blanco
Sal

1.   Se limpian y se desescaman los pescados, y se cortan en trozos.
2.   Se hacen marinar en algo de aceite los pescados. Se pican muy finamente la cebolla y el perejil, se pica el ajo y, junto con el laurel, se añaden a la marinada. Se deja todo marinar, tapado, durante hora y media.
3.   Se añaden dos litros de agua y algo de vino blanco. Se sazona con sal y se cuece a fuego fuerte durante 15 minutos.
4.   Se cuela el caldo y se vierte en una sopera, sobre los trozos de pan tostado.
5.   Puede optarse por servir el caldo y el pescado juntos en la sopera, o disponer el pescado en una fuente y presentar en la mesa dicha fuente y la sopera con el caldo.

Anguila «all i pebre»

Ingredientes:

1 kilo de anguilas
Jugo de limón
Harina
Aceite
3 dientes de ajo
Una pizca de pimienta molida
Trozos pequeños de pan frito

1.   Se corta la anguila en trozos de 5 cm aproximadamente. Se sazona con sal y limón.
2.   Se calienta aceite en una sartén, y se fríen en ella los trozos de anguila y los ajos. Se pone la anguila en una fuente, se espolvorea con pimienta, se añaden los ajos y se rocía con el aceite en que se frió.
3.   Se sirve con los trozos de pan frito.

Zarzuela de pescados y mariscos

Ingredientes:

1 kilo de calamares
1/2 kilo de rape
1/2 kilo de gambas
1/2 kilo de mejillones
1/2 kilo de almejas
1/4 de merluza
2 langostinos o cigalas
1 cebolla
2 dientes de ajo
Vino blanco
Tomate
Harina
Perejil y laurel
Aceite y sal

1. Cocer las almejas en media taza de agua. Una vez que abran, quitarles las conchas y reservar el caldo. Hacer otro tanto con los mejillones.
2. Limpiar la merluza, el rape y los calamares y cortarlos en trozos.
3. Cocer las gambas y los langostinos en agua hirviendo con sal, durante 10 minutos. Quitarles los caparazones.
4. Unir el caldo de los mariscos y dejarlo cocer a fuego vivo hasta que reduzca a la cantidad de media taza.
5. En una cacerola o cazuela de barro calentar un poco de aceite. Freír la cebolla, bien picada, un diente de ajo picado y una hoja de laurel. Añadir un poco de tomate y dejar cocer muy lentamente, con el recipiente tapado.
6. Rebozar los calamares en harina y freírlos en aceite caliente. Cuando empiecen a tomar color, añadir la merluza, el rape, las gambas y los langostinos (cortados en trozos), las almejas y los mejillones. Sazonar con sal, añadir un vaso de vino blanco y dejar cocer a buen fuego durante 5 minutos, removiendo. Pasado este tiempo, añadir la taza de caldo al sofrito de cebolla y tomate y verter sobre el pescado. Dejar cocer todo durante 20 minutos a fuego moderado.

Buñuelos de bacalao

Ingredientes:

300 gramos de bacalao
2 huevos
250 gramos de patatas
1 diente de ajo
Aceite
Harina
Perejil picado
Sal y pimienta

1. Se pone en remojo el bacalao durante 4 horas, cambiando el agua de vez en cuando.
2. Se desmenuza el bacalao, quitando las pieles y las espinas, y se exprime bien hasta que quede sin agua.
3. Se cuecen las patatas en agua salada, se escurren y se secan, y se pasan por el pasador de puré.
4. Se mezcla el puré de patatas con el bacalao desmenuzado. Se añaden dos yemas de huevo, perejil, ajo picado, tres cucharadas de harina, sal y pimienta. Se amasa todo muy bien.
5. Se baten dos claras a punto de nieve y se añaden a la pasta, justo antes de empezar a freír los buñuelos.
6. Se calienta aceite y se fríen el él los buñuelos, sin echar demasiada pasta cada vez. Se sirven en seguida.

Pescados y mariscos

Angulas a la bilbaína

Ingredientes:

1/4 de kilo de angulas
2 dientes de ajo
Guindilla
Aceite

1. Utilizar siempre una cazuela de barro. Poner en ella 5 cucharadas de aceite y los ajos cortados en láminas finas. Una vez dorados los ajos, retirar la cazuela del fuego y dejar enfriar.
2. Cuando el aceite ya esté sólo templado, echar las angulas a la cazuela. Poner la cazuela a fuego vivo, removiendo muy rápidamente con una cuchara de madera, de modo que todas las angulas se frían al mismo tiempo y se empapen con el aceite.

3. Cuando el aceite rompa a hervir, retirar la cazuela y trasladar rápidamente a la mesa, pues las angulas deben llegar hirviendo aún. No conviene freír nunca más de un cuarto de kilo de angulas cada vez.

Calamares en su tinta

Ingredientes:

1 kilo de calamares
1 cebolla
2 dientes de ajo
Harina
Vino blanco
Perejil
Aceite y sal

1. Limpiar bien los calamares, reservando las bolsas de tinta. Cortar los cuerpos en anillos, o en trozos regulares. Picar los tentáculos. Sazonar con ajo y perejil machacados, añadir sal y ponerlos en una cacerola o cazuela.

2. Calentar aceite en la sartén y freír la cebolla muy picada. Añadir una cucharada de harina tostada. Añadir también un diente de ajo machacado con perejil y diluido en vino blanco. Verter esta salsa sobre los calamares, tapar la cacerola y dejar cocer durante 30 minutos.
3. Añadir un poco de agua a la tinta de los calamares y pasarla por un colador. Verter en la cacerola y continuar la cocción durante otros 30 minutos. Servir bien caliente.

Bacalao «a la llauna»

Ingredientes:

600 gramos de bacalao
200 gramos de tomate
3 dientes de ajo
Vino rancio
Perejil
Pimentón
Aceite

1. Se remoja el bacalao del modo indicado, cortándolo en trozos y bien escurrido.
2. Freírlo en abundante aceite. A continuación colocarlo en la «llauna» o cazuela de barro.
3. En el mismo aceite se fríen los ajos picados, una punta de pimentón y un vaso pequeño de vino. Verter este sofrito sobre el bacalao, así como el tomate, que se habrá hecho aparte en salsa espesa. Espolvorear con el perejil picado.
4. Poner la «llauna» en el horno. Tiempo de cocción: de 10 a 15 minutos.

Bacalao a la vizcaína

Ingredientes:

1/2 kilo de bacalao seco, en trozos
12 pimientos secos
1 kilo de cebollas
4 tomates
3 dientes de ajo
1 corteza de tocino
2 yemas de huevo duro
1 hoja de laurel
2 terrones de azúcar
Sal

1. Se remoja el bacalao durante 24 horas cambiándole el agua varias veces. Los pimientos, abiertos y sin semillas, deben quedar también en remojo toda una noche.
2. Se quitan las escamas al bacalao. Se pone en una cacerola con agua fría y una hoja de laurel. Se pone a fuego vivo. Cuando empiece a espumar, y antes de que hierva, se retira del fuego y se deja que enfríe. Ya frío se quitan las espinas.
3. En una cacerola con aceite se rehogan la corteza del tocino y los ajos. Cuando esté dorado, se añade la cebolla en rodajas. Cuando ésta dore, se añaden los tomates, pelados y picados, la pulpa de los pimientos, los terrones de azúcar, las yemas y un poco del agua donde se hirvió el bacalao. Se deja cocer 25 minutos.
4. Se pasa esta salsa por un pasapuré, formando una pasta líquida.
5. En una cacerola o una cazuela de barro con el fondo plano, se pone un par de cucharones de salsa, y encima los trozos de bacalao, con la piel hacia arriba. Se cubre con el resto de la salsa y se deja hervir 15 minutos. Se sirve mientras todavía hierve.

Pescados y mariscos

Bonito con tomate

Ingredientes:

1 o 2 rajas de bonito
1/4 kilo de cebolla
3/4 de kilo de tomates maduros
6 cucharadas de aceite
1 cucharadita de harina
1 vaso de vino blanco
2 hojas de laurel
1 ramita de tomillo
Sal

1.   Se pide el bonito sin piel y cortado en filetes gruesos.
2.   Se pela y pica muy finamente la cebolla. Se pelan, cortan y quitan las pepitas de los tomates. En una sartén grande se pone el aceite a calentar, se echa la cebolla y se saltea hasta que empiece a ponerse transparente.
3.   Se añade la harina, se revuelve y se añaden los tomates, que se machacarán bien sobre la misma sartén. Se añade el vino blanco, la sal y las especias y se deja cocer esta salsa 15 minutos.
4.   Se añade el pescado, se tapa y se cuece 15 minutos más a fuego lento. Se sirve en una fuente acompañado de la salsa.

Marmitako

Ingredientes:

1 kilo de atún fresco
1 kilo de patatas
2 cebollas
2 dientes de ajo
1 tomate
Guindilla
Vino blanco
Laurel y perejil
Aceite
Sal y pimienta

1.   Quitar la piel y las espinas del atún y cortarlo en cuadrados.
2.   En una cacerola, con 8 cucharadas de aceite, rehogar el atún y sacarlo.
3.   En el mismo aceite, sofreír la cebolla y el ajo picados. Cuando empiecen a dorar, añadir el tomate y dejar cocer.
4.   Cortar las patatas en trozos. Machacar en el mortero ajo, perejil y un poco de guindilla.
5.   En otra cacerola o cazuela poner todos los ingredientes anteriores y añadir un vaso de vino blanco y un litro de agua. Cocer, sin tapar la olla, hasta que las patatas estén tiernas. Espolvorear con perejil picado para servir.

Lubina a la sal

Ingredientes:

1 lubina
Sal gruesa

1.   Se humedece la sal con un poco de agua para que quede más unida.
2.   Se coloca una gruesa capa de sal en una fuente de hornear, se pone encima el pescado y se cubre totalmente con sal.
3.   Se pone la fuente al horno hasta que la corteza de sal comience a abrirse. Se retira el pescado, se elimina la sal y se sirve con una guarnición al gusto.

Mero a la parrilla

Ingredientes:

1 1/2 kilo de mero
1 cebolla
Mantequilla
Aceite
Unas ramas de perejil fresco
Sal

1.   Se corta el mero en trozos, y se lavan éstos en agua fría. Se secan con un paño, se espolvorean de sal y se untan de aceite.
2.   Se cubren con cebolla picada y perejil picado, y se dejan durante una hora. Pasado este tiempo, se les quita el perejil y la cebolla.
3.   Se calienta la parrilla, se unta de aceite y se colocan los trozos de mero, bien impregnados de aceite.
4.   Se dejan asar hasta que la espina de los lados se desprende con facilidad, después se retiran.
5.   En una fuente, se colocan las rodajas de mero asadas, y se les unta un poco de mantequilla. Se adorna la fuente con ramas de perejil y se sirve.

6.   Se puede servir, para acompañar, cualquier salsa apropiada para pescado.

Merluza a la sidra

Ingredientes:

6 rodajas de merluza
1 cucharada de almendra molida
1 huevo cocido
2 cucharadas de coñac
1/4 de kilo de almejas
1 pimiento de lata
1 cebolla
1/2 limón
Ajo
Perejil
1 vaso de sidra
Aceite
Sal

1.   Se rocían con limón las rodajas de merluza, se dejan unos minutos. Pasados estos minutos, se sazonan con ajo.

2.   Se pica la cebolla y se fríe lentamente en una sartén. Cuando está frita, se le añade un diente de ajo, previamente machacado con rama de perejil, una yema de huevo cocido, media cucharada de harina y se revuelve todo con un poco de sidra.
3.   Se le añade a la mezcla la almendra y se sazona con sal. Se deja hervir unos minutos. Después, se pasa la salsa por un pasador.
4.   Una parte de la salsa se coloca en una cazuela refractaria, y se ponen encima las rodajas de merluza, se sazonan con sal y se rodean de almejas bien lavadas.
5.   Se vierte sobre la merluza el resto de la salsa y se salpica con el pimiento muy picado.
6.   Se rocía con el resto de la sidra y dos cucharadas de coñac y se deja cocer durante 15 minutos a fuego fuerte. Se sirve inmediatamente.

Pescados y mariscos

Merluza en salsa verde

Ingredientes:

6 rodajas de merluza
1 cucharada de perejil picado
3 cucharadas de vino blanco
1 cebolla pequeña
2 dientes de ajo
4 cucharadas de aceite
1 huevo
Harina
Sal

1.   Se limpia la merluza, se sazona con sal y se pasa por harina. Se calienta el aceite en una sartén y se rehoga en él la merluza, poniéndola después en una fuente refractaria.
2.   Se pica muy finamente la cebolla y se saltea en el mismo aceite donde se rehogó la merluza. Antes que empiece a dorarse, se añade media cucharada de harina, y se rehoga, revolviendo, sin que se dore.
3.   Se machaca un diente de ajo, se pica perejil, y se mezcla todo con el vino blanco. Se echa en la sartén, y se mezcla con el refrito. Se hace hervir, y se vierte sobre la merluza. Se comprueba la sazón.
4.   Se pone la fuente con la merluza y la salsa a fuego vivo durante 5 minutos. Antes de servir se espolvorea con huevo duro.

Sardinas al horno con vino blanco

Ingredientes:

1 1/2 kilo de sardinas grandes
5 cucharadas de aceite
1 vaso de vino blanco
3 cucharadas de pan rallado
1 cucharada de perejil picado
El jugo de medio limón
40 gramos de mantequilla
Sal

1.   Se quitan las cabezas y las espinas de las sardinas. Se lavan y secan, salándolas por la parte de dentro.
2.   Se pone el aceite en una fuente refractaria. Se ponen las sardinas en la fuente, de tal manera que no monte ninguna encima de otra. Se rocían con vino blanco y zumo de limón, se espolvorean con perejil picado y pan rallado. Se les ponen trocitos de mantequilla por encima.
3.   Se enciende el horno y, cuando está caliente, se mete en él la fuente con las sardinas y se dejan durante 25 minutos a fuego medio. Conviene regarlas de vez en cuando con su jugo. Se sirven en la misma fuente.

Lubina al horno

Ingredientes:

1 lubina de un kilo y medio
6 cucharadas de aceite
75 gramos de mantequilla
El jugo de un limón
4 lonchas de bacon
Sal

1.   Se vacía y se limpia la lubina.
2.   Se lava muy bien y se seca con un paño. En una fuente refractaria se echa el aceite. Se sala la lubina por ambos lados, y también por el interior, y se pone en la fuente.
3.   Se meten dos lonchas de bacon en el hueco de la tripa de la lubina, y otras dos, enrolladas, en dos tajos profundos que se harán en el lomo.
4.   Se ponen trocitos de mantequilla por encima y alrededor del pescado. Se rocía todo con jugo de limón. Se pone al horno, ya caliente, y se cuece durante 45 minutos a fuego mediano, rociando de vez en cuando con la salsa. Se sirve en la misma fuente.

Pulpo a la gallega

Ingredientes:

2 kilos de pulpo
2 hojas de laurel
Aceite
Pimentón
Guindilla
Ajo
Sal

1. Se lava muy cuidadosamente el pulpo, golpeándolo para que suelte la arena, y cambiando varias veces el agua.
2. Se hace hervir agua en una cazuela con dos hojas de laurel. Se coge el pulpo y se introduce varias veces en el agua, que siempre debe mantenerse hirviendo a borbotones, hasta que se rice. Conseguido esto, se deja dentro del agua para que continúe cociéndose (de 30 a 45 minutos). Se añade la sal, poco antes de terminar la cocción.
3. Se saca el pulpo y se deja enfriar. Se corta en trozos pequeños, que se ponen en una fuente.
4. Se pica un ajo y una guindilla muy finamente y se fríen en aceite caliente. Se espolvorea este aceite con pimentón, se revuelve y se cuela. Se echa esta salsa encima del pulpo y se deja freír todo junto durante 3 minutos. Se sirve en seguida.

Pescaditos fritos

Ingredientes:

Pescados blancos surtidos (la variedad y cantidad que se desee)
Harina
Aceite
Limón cortado en rodajas
Sal

1. Se cortan los pescados en trozos pequeños.
2. Se les echa sal, se rebozan en harina y se fríen en aceite muy abundante y muy caliente. Se escurren.
3. Se sirven muy calientes, en una fuente y sobre un lecho de servilletas de papel (para que absorban el aceite), junto con las rodajas de limón.

Pescados y mariscos

Sardinas en escabeche

Ingredientes:

1 1/2 kilo de sardinas
3 dientes de ajo
1 taza de vinagre
1 taza de vino blanco
Laurel
Pimentón
Perejil
Aceite
Sal

1. Se limpian las sardinas y se les quitan las cabezas. Se secan con un paño, se sazonan con sal, y se fríen en aceite bien caliente.
2. Se fríen en cuatro cucharadas de aceite los ajos picados, perejil picado, una hoja de laurel partida en trocitos y un poco de pimentón. Se añaden el vino blanco y el vinagre y se deja cocer 5 minutos (también se pueden añadir unas cucharadas de tomate concentrado).
3. Se ponen las sardinas fritas en un recipiente de barro, y se cubren con la salsa. Se tapa la cazuela, y se deja que las sardinas reposen y enfríen.

Besugo al horno

Ingredientes:

1 besugo
Cebolla
Tomate
Limón
Vino blanco seco
Mantequilla
Perejil
Sal y pimienta

1. Desescamar y limpiar el besugo. Secarlo con un paño de cocina.
2. Picar bien la cebolla. Cortar en rodajas el tomate y el limón.
3. Untar con mantequilla una fuente de hornear. Espolvorearla ligeramente con sal y pimienta y añadir el picadillo de cebolla.
4. Colocar el besugo en la fuente. Sazonar. Ponerle por encima, alternando, las rodajas de limón y de tomate. Añadir por encima vino blanco, y poner sobre el besugo unos trocitos. de mantequilla.
5. Con el horno calentado previamente a la máxima temperatura, cocer el besugo durante 30 minutos, rociándolo a menudo con el jugo de la cocción. Antes de servir, espolvorear el besugo con perejil bien picado.

Gambas al ajillo

Ingredientes:

Gambas (la cantidad que se desee)
Ajo (1 a 4 dientes, según las gambas)
Guindilla
Aceite
Sal

1. Se hace hervir agua con sal en una cacerola. Se meten las gambas durante un momento (menos de un minuto) y se retiran. Se dejan enfriar y se quita la cabeza y el caparazón de las colas.
2. Se ponen las colas sin caparazón en cazuelitas de barro individuales.
3. Se pica ajo y guindilla (esta última en una cantidad dependiente de lo picante que se desee que queden las gambas) y se espolvorea sobre las gambas.
4. Se calienta aceite a punto de hervir y se vierte sobre las gambas. Se ponen las cazuelas unos minutos al fuego, hasta que se doren los ajos.
5. Se sirven todavía hirviendo.

Trucha a la navarra

Ingredientes:

4 truchas grandes
2 lonchas de jamón serrano
Harina
Perejil
Aceite
Sal y pimienta

1.   Limpiar las truchas. Sazonar con sal y pimienta y rebozar en harina.
2.   Freír las truchas en abundante aceite hirviendo. Escurrirlas sobre un papel absorbente.
3.   Freír las lonchas de jamón, cortadas muy finas, y colocarlas sobre las truchas. Servirlas bien calientes, espolvoreadas con perejil picado.

Centollo frío a la pescadora

Ingredientes:

2 centollos grandes
300 gramos de merluza
4 cucharadas de aceite
3 yemas de huevo duro
1/2 cucharadita de mostaza
El jugo de un limón
5 litros de agua
1 vaso de vinagre
1 cucharada de vino blanco
10 granos de pimienta
3 hojas de laurel
1 cebolla
Sal

1.   En una olla se pone el agua, el vinagre, la pimienta, dos hojas de laurel y sal. Se hace hervir a fuego fuerte y se meten los centollos. Se tapa y se dejan cocer durante 15 minutos a fuego vivo, contando el tiempo a partir del momento en que el agua vuelva a hervir.
2.   Se sacan los centollos del agua y se dejan enfriar. En otra cacerola se pone agua fría, una hoja de laurel, el vino, la cebolla y sal, se añade la merluza y se pone al fuego. En el momento que empiece a hervir se retira la cazuela del fuego y se saca la merluza. Se le quita la piel y las espinas, se desmenuza y se reserva.
3.   Se abren con cuidado los centollos, ya fríos, se quita la carne del cuerpo y de las patas, cortándola en trozos. Se limpian y lavan los caparazones y se reservan.
4.   Se separan las huevas y la parte marrón de la carne, que se ponen en un mortero. Se machacan junto con las yemas de los huevos duros, la mostaza, el jugo de limón. Una vez bien machacado todo, se van añadiendo lentamente 4 cucharadas soperas de aceite, hasta conseguir una salsa bien ligada. Se comprueba la sal.
5.   Se mezcla la salsa con la merluza y la carne de los centollos. Se rellenan los caparazones con esta pasta y se guardan en un lugar fresco hasta el momento de servir.

Lenguados fritos

Ingredientes:

6 lenguados
1 taza de leche
Harina
Aceite abundante
1 limón
Sal

1.   Se mojan los lenguados en la leche, se rebozan en harina y se fríen en aceite muy caliente.
2.   Se sirven en seguida con el limón cortado en rodajas.

Carnes

Manos de cerdo

Ingredientes:

4 manos de cerdo
1 vaso de vino blanco
2 cebollas medianas
100 gramos de alubias
2 dientes de ajo
1 hoja de laurel
1 rama de tomillo
1 rama de perejil
2 clavos de olor
Salsa de tomate
Sal

1.   Se compran unas manos de cerdo ya limpias, sin piel ni pelos.
2.   Se lavan cuidadosamente cambiando varias veces el agua. Se escurren y se les da un corte desde la pezuña hasta arriba.
3.   Se ponen en una cacerola cubiertas con mucha agua. Se añaden el vino, las cebollas peladas y cortadas en dos, las alubias, los dientes de ajo pelados, el laurel, el tomillo, el perejil, los clavos y la sal.
4.   Se pone la cacerola a fuego fuerte y se hace hervir. Cuando comienza el hervor se tapa y se cuece suavemente a fuego lento durante 4 horas. Se escurren y se ponen en otra olla con la salsa de tomate, y se dejan cocer a fuego lento 25 minutos más.
5.   Se sirven en una fuente honda.

Lacón con grelos

Ingredientes:

1 paletilla de cerdo curada
1 kilo de patatas
6 chorizos gallegos
1 kilo de grelos (los grelos son las primeras hojas de los nabos)

1.   Se parte la paletilla en trozos grandes y se deja 2 horas en agua.
2.   Se meten los grelos en agua hirviendo y se les da un hervor corto.
3.   En una cacerola se ponen la carne, las patatas peladas, los chorizos y los grelos, y se cuecen hasta que todo esté bien hecho.
4.   Se cuela y se sirve sin el caldo.

Callos
a la madrileña

Ingredientes:

Callos de ternera
1 morro
1 pata de ternera
1 codillo de jamón
1/4 de kilo de tomate picado
Chorizo, morcilla
Cebolla, ajo
Harina
Sal gorda
Pimentón
Pimienta negra en grano
Clavos de especia
Guindilla
Laurel
Aceite y sal

1.   Cocer los callos unos minutos con agua fría y sal y enjuagarlos. Ponerlos a cocer de nuevo con agua fría, sal gorda, una cebolla, tres clavos de especia, guindilla, un diente de ajo, una hoja de laurel, pimienta, el codillo, la pata y el morro.

2.   Cuando la pata y el morro estén tiernos, deshuesarlos y partirlos en trozos como los callos. Cuando los callos estén cocidos, escurrirlos y conservar el caldo.

3.   Sofreír la cebolla bien picada, los chorizos, la morcilla y guindilla. Cuando la cebolla empiece a dorar, añadir ajo, pimentón y tomate. Cuando esté frito el tomate agregar una cucharada de harina y remojar todo con el caldo de los callos, removiendo bien la mezcla.

4.   Dejar cocer un poco y echar los callos (hay que retirarles la cebolla, la pimienta y la hoja de laurel). Dejar 45 minutos, removiendo continuamente.

5.   Se sirven en la misma cacerola o fuente de cocción, con el chorizo y la morcilla cortados en trozos.

Carnes

Albóndigas

Ingredientes:

1/2 kilo de carne picada
1 cucharada de cebolla picada
50 gramos de tocino
1 vaso de vino blanco
2 huevos
Ajo
Perejil
Aceite
3 cucharadas de miga de pan
6 cucharadas de leche
Sal

1. Se pica en trozos muy pequeños el tocino.
2. Se añade a la carne el tocino, el ajo, el perejil y una cucharada de vino blanco. Se sazona con sal y se deja reposar durante 15 minutos. Pasado este tiempo, se agrega el pan, remojado en leche y exprimido, y los huevos batidos.
3. Se forman bolas con la carne y se rebozan en harina. Se fríen en una sartén hasta dejarlas doradas.
4. Una vez fritas, se echan en una cazuela y se reservan.
5. En el aceite donde se frieron las albóndigas se echa media cebolla muy picada. Se agrega un poco de ajo y perejil machacados en el mortero y se le añade un buen chorro de vino blanco y media cucharadita de harina. Se echa todo esto a las albóndigas.
6. Se deja cocer suavemente, añadiendo agua en pequeñas cantidades, en caso de que la salsa se reduzca excesivamente. Y sacudiendo la cazuela para que no se peguen. Se sirven con la misma salsa. Pueden acompañarse con patatas fritas.

Sesos a la romana

Ingredientes:

Sesos de ternera
1 clavo de olor
3 granos de pimienta
1 hoja de laurel
1 cáscara de cebolla
1 zanahoria cortada en rodajas
Aceite
1 huevo
4 cucharadas de harina
1/2 vaso de vinagre
1 limón cortado en rodajas
Sal

1. Se ponen los sesos en un colador y se colocan bajo el grifo de agua fría, manteniéndolos hasta que no sangren. Debe tenerse el cuidado de que el chorro de agua no sea muy fuerte y pueda estropear los sesos.
2. Se colocan en una ensaladera cubiertos con agua fría y se añade medio vaso de vinagre, se dejan remojar 15 minutos, se escurren y se les quita la telilla que los recubre, así como las venas y la sangre que aún puedan tener.
3. En una cacerola se ponen el clavo, la pimienta, el laurel, la cáscara de cebolla, la zanahoria, sal y agua fría suficiente para cubrir los sesos. Se añaden los sesos y se cuecen a fuego mediano durante 20 minutos. Se escurren y se dejan enfriar envueltos en un paño.
4. Una vez fríos se cortan en cuadritos.
5. En una ensaladera se pone la harina, dos cucharadas de aceite, sal y 8 cucharadas de agua. Se mezcla todo hasta hacer una pasta homogénea. Se bate la clara del huevo a punto de nieve y se agrega a esta pasta.
6. En una sartén se echa abundante aceite, se pone al fuego y cuando esté muy caliente se van friendo los trozos de seso previamente rebozados en la pasta. Se sirven acompañados con rodajas de limón.

Estofado de buey

Ingredientes:

Un kilo de carne (tapa o contratapa)
200 gramos de tocino (con corteza)
Cuatro chalotes
Dos dientes de ajo
Perejil picado
Dos vasos grandes de vino tinto
Mejorana
Salvia
Sal y pimienta

1. Poner la corteza del tocino en el fondo de una cacerola. Trocear la carne, y poner una primera capa sobre las cortezas.
2. Preparar un picadillo con el tocino, las escaloñas y el perejil, y cubrir la primera capa de carne, y seguir acumulando capas hasta agotar estos ingredientes, sazonando cada capa de carne con sal y pimienta.
3. Cubrir con el vino, y sazonar con un poco de salvia y mejorana. Cocer a fuego vivo hasta que hierva. Cubrir la cacerola, y dejar cocer a fuego lento unas tres horas. Para servir, presentar la carne en una fuente caliente, rociada con su jugo.

Hígado guisado a la española

Ingredientes:

1/2 kilo de hígado de ternera
1/2 kilo de patatas pequeñas
3 cucharadas de vino blanco
2 dientes de ajo
1 cucharada de harina
1 pizca de pimentón
Aceite
Perejil
Sal

1. Se calienta aceite en una cazuela. Se pelan las patatas y se rehogan en el aceite durante unos minutos. Se añade el pimentón y la sal, se revuelve y se añade un poco de agua, se tapa y se deja cocer.
2. En un mortero se machaca ajo y perejil, se diluye con vino blanco y se añade a las patatas.
3. Cuando las patatas estén cocidas, se les añade una cucharadita de harina diluida en agua.
4. Se corta el hígado en trozos, se sala y se fríe a fuego fuerte durante 5 minutos. Se escurre. Se retiran las patatas de la salsa, y se echa en la salsa el hígado. Se sirve con la salsa, en el centro de una fuente, con las patatas alrededor.

Carnes

Cordero asado

Ingredientes:

1 kilo de pierna de cordero
50 gramos de manteca de cerdo
1 vaso pequeño de vino añejo
1 cucharadita de jugo de limón
1/2 kilo de patatas
Perejil
Sal y pimienta

1. Se corta la carne en trozos, se espolvorea con sal y pimienta y se unta con la manteca de cerdo.
2. Se pone en una fuente refractaria y se mete al horno a fuego medio. Se rocía con la grasa de vez en cuando y se mantiene dentro del horno hasta que esté bien dorado.
3. Se rocía con el vino y el limón y se deja unos minutos más al horno. Se acompaña con mitades de patata asada, adornadas con ramitas de perejil.

Cordero en chilindrón

Ingredientes:

1 1/2 kilo de cordero
250 gramos de tomates maduros
250 gramos de zanahorias
1 vaso de vino blanco
100 gramos de jamón
1 pimiento
100 gramos de guisantes
Aceite
Ajo
Perejil
Sal

1. Se parte la carne en trozos, se mezcla con ajo picado y se deja en reposo durante 30 minutos.
2. Se calienta aceite en una sartén y se rehoga en él el jamón (previamente cortado en trozos grandes). Se ponen los trozos de jamón rehogados en una cazuela de barro.
3. Se espolvorean con algo de sal los trozos de cordero y se

rehogan en el mismo aceite que se usó para el jamón. Una vez rehogados, se ponen en la cazuela de barro.
4. Se cortan las zanahorias en rodajas. Se pelan, despepitan y machacan los tomates. Se cortan los pimientos en trozos y se añade todo a la cazuela.
5. Se cuela el aceite que se usó para rehogar, se calienta hasta hacerlo hervir y se vierte sobre la cazuela de barro.
6. En un mortero se machacan un diente de ajo y perejil, y se diluyen en el vino blanco. Se añade esta salsa a la cazuela, se sazona con sal, se tapa y se deja cocer a fuego fuerte, sacudiéndola con frecuencia y revolviendo de vez en cuando, para evitar que se pegue el guiso al fondo de la cazuela.
7. Cuando la carne esté a medio cocer se añaden los guisantes.
8. Una vez conseguido el punto de la carne, se quita del

fuego y se sirve en una fuente. Se pone la carne al centro de ésta y alrededor los demás ingredienes, regados con la salsa. Si ésta tuviese mucha grasa, es conveniente desengrasarla previamente.

Chuletas asadas con alioli

Ingredientes:

1 kilo de costillas de cerdo
1 taza de salsa alioli
Aceite
Sal

1. Se sazonan las costillas, se untan con aceite y se doran bien por ambos lados sobre una parrilla muy caliente.
2. Se sirven muy calientes acompañadas por la salsa alioli servida en salsera aparte.

Cochinillo asado de Segovia

Ingredientes:

1 cochinillo de 20 días
1 trozo grande de corteza de tocino
Salmuera

1.   Se limpia perfectamente el cochinillo, y se atraviesa con la brocheta del asador.
2.   Se prepara un buen fuego de brasas de leña.
3.   Se frota con el tocino y se moja en la salmuera, se pone sobre el fuego haciéndolo girar continuamente. Se continúa mojando con salmuera y frotando con tocino hasta que la piel forme ampollas y coja color tostado.

Lengua de ternera estofada

Ingredientes:

1 lengua de ternera
1 cebolla grande
3 zanahorias
3 dientes de ajo
1/4 de kilo de tomates maduros
1 rama de perejil
1 hoja de laurel
1/2 vaso de vino blanco
Aceite
Una pizca de pimentón
Sal

1.   Se lava y limpia la lengua y se pone en agua hirviendo. Se deja cocer durante 3 o 4 minutos, contados desde que vuelve a hervir el agua. Se escurre, se pone sobre una tabla y se le quita la piel con un cuchillo.
2.   Se limpia muy cuidadosamente y se pone en una cazuela. Alrededor de la lengua se pone la cebolla (previamente picada), los ajos picados, la rama de perejil, el laurel, el tomate pelado y cortado en cuadros, las zanahorias cortadas en rodajas, 3 cucharadas de aceite, medio vaso de vino blanco, una pizca de pimentón y sal.
3.   Se tapa y se deja cocer suavemente a fuego lento durante 3 horas. De vez en cuando, se destapa y se revuelve, teniendo el cuidado de dejar escurrir sobre la lengua el agua condensada en la tapa.
4.   Al cabo de las 3 horas se comprueba si la lengua está tierna (la atravesará fácilmente un tenedor). Se quita del fuego y se deja enfriar la lengua fuera de la salsa. Se reservan las rodajas de zanahorias.
5.   Se corta la lengua en rodajas, y se ponen en una cacerola.
6.   Se pasa la salsa por un pasador de puré y se vierte sobre las rodajas de lengua. Se tapa la cacerola y se cuece durante 30 minutos.
7.   Se sirve en una fuente, regada la lengua con la salsa y adornada con las rodajas de zanahoria.

Aves y caza

Pato con nabos

Ingredientes:

1 pato
1/2 kilo de nabos
50 gramos de tocino
1 cebolla
1 vaso de vino blanco
1/2 litro de caldo
Harina
Laurel
Perejil
Aceite
Sal y pimienta

1.   Se limpia el pato, se flamea para eliminar los restos de pluma, se sazona con sal, y se arma para darle forma.
2.   Se corta el tocino en trocitos, y se fríe en una cacerola con cinco cucharadas de aceite. Se añade el pato y se deja que se rehogue, a fuego lento, hasta que quede bien dorado.

3.   Se añaden entonces la cebolla y los nabos, pelados y torneados. Se añade una cucharada de harina, y, un minuto más tarde, el vino y el caldo. Se aromatiza con un ramillete de perejil y laurel, se sazona con sal y pimienta, y se deja cocer aproximadamente una hora y media, hasta que el pato esté tierno.
4.   Se sirve en una fuente, entero o trinchado, con los nabos alrededor y cubierto con su propia salsa.

Gallina en pepitoria

Ingredientes:

1 gallina
2 huevos duros
1 cebolla
3 dientes de ajo
8 almendras crudas
Harina

Vino blanco
Azafrán, laurel y perejil
Aceite y sal

1.   Limpiar el ave, cortarla en trozos y sazonar con ajo machacado. Dejar que repose durante 30 minutos. Pasarla a continuación por harina y freírla en aceite bien caliente, para que se dore por todos los lados. Pasarla a una cacerola.
2.   En el mismo aceite, si no está muy quemado, freír la cebolla, muy picada. Añadirla a la cacerola sobre la gallina y rociar con un vaso de vino blanco, completando el líquido con caldo o agua, de tal manera que el ave quede bien cubierta. Sazonar con sal, tapar la cacerola y dejar cocer hasta que la carne esté tierna, removiendo de vez en cuando para que no se pegue al fondo.
3.   Machacar en el mortero un diente de ajo frito, junto con las

almendras, peladas, las yemas de dos huevos duros, unas hebras de azafrán y un poco de perejil. Diluir con un poco del caldo de la cocción y añadirlo a la cacerola cuando la gallina ya esté tierna. Añadir también media hoja de laurel.
4.   Terminada la cocción, retirar la carne a una fuente. Seguir cociendo la salsa hasta que adquiera un buen punto. Volver a introducir la carne, para que se caliente, y servir en una fuente honda, con toda la salsa.

Pollo en chilindrón

Ingredientes:

2 pollos
Jamón serrano
6 pimientos
1 cebolla
1 kilo de tomates maduros
1 diente de ajo
Aceite
Sal y pimienta

1.   Cuartear los pollos y aliñar con sal y pimienta. Cortar el jamón en trocitos. Picar bien la cebolla. Picar los tomates.
2.   Asar los pimientos hasta que la piel quede negra. Pelarlos y limpiarlos, cortarlos a cuadritos.
3.   Freír el ajo en la cacerola con aceite caliente y a continuación echar el pollo. Cuando esté bien dorado, añadir el jamón y la cebolla picada.
4.   Cuando la cebolla se haya dorado, poner los pimientos, remover un poco y añadir los tomates. Dejar cocer hasta que todos los ingredientes cojan el punto y el conjunto aparezca bien seco.

Pollo al ajillo

Ingredientes:

1 pollo
Ajo
Guindilla
Vino blanco
Aceite, sal y vinagre

1.   Trocear el pollo, salarlo y freírlo en aceite.
2.   Pasar los trozos de pollo frito a una cacerola o cazuela de barro. En la misma sartén, rebajando el aceite, freír tres dientes de ajo troceados y un poco de guindilla.
3.   Cuando estén fritos el ajo y la guindilla, retirar la sartén del fuego y añadir un vasito de vino blanco. Verter esta salsa sobre el pollo, raspando bien el fondo de la sartén para que suelte la sustancia.
4.   Poner la cazuela o cacerola al fuego y dejar cocer hasta que reduzca el vino y el pollo empiece a freír. Servir en el mismo recipiente de cocción.

Aves y caza

Conejo al romero

Ingredientes:

1 conejo
3/4 de kilo de patatas
1/4 de kilo de tomate
1 cebolla
1 ramita de romero
2 dientes de ajo
Vino blanco
Perejil y laurel
Tomillo
Nuez moscada
Aceite y sal

1. Se parte la carne en trozos, se sazona con sal y se rehoga en una sartén con aceite caliente.
2. A medida que van dorando, se trasladan los trozos de carne a una cacerola o cazuela de barro. Se agrega la cebolla picada y se rehoga. Se añade un vaso de vino blanco, se tapa la cacerola y se deja cocer durante 10 minutos.
3. Se machaca en el mortero el ajo, con una rama de perejil picado, un poquito de tomillo y el romero. Se diluye en una cucharada de agua y se añade a la cacerola. Se añade también a la carne unas ralladuras de nuez moscada y el tomate, pelado y picado en trozos. Se tapa de nuevo la cacerola y se deja cocer hasta que todo esté tierno. A media cocción se añaden las patatas, peladas y cortadas en trozos. Se sirve en la misma cacerola o cazuela con la salsa y las patatas.

Conejo al ajillo

Ingredientes:

1 conejo tierno
6 ajos
Vino blanco
Aceite
Sal

1. Se parte el conejo en trozos pequeños, se unta con ajo y se deja reposar una hora.
2. Se limpia bien, se sazona con sal y se fríe en una sartén con aceite abundante y muy caliente. Debe quedar muy dorado.
3. Se cortan tres ajos grandes en filetitos y se fríen en el mismo aceite. Cuando estén dorados se vierte todo sobre el conejo. Se rocía con vino y se mantiene durante 10 minutos en el horno caliente.

Liebre adobada

Ingredientes:

1 liebre de 1 1/2 kilo
200 gramos de cebollas
1/2 litro de vino blanco
1/2 litro de caldo
2 cucharadas de vinagre
200 gramos de tocino veteado
2 cucharadas de aceite
Harina
1 hoja de laurel
2 ramas de perejil
1 rama de tomillo
1 diente de ajo
1 cucharada de perejil picado
Sal y pimienta

1. Con un día de antelación, se corta la liebre en trozos, que se ponen en un recipiente no metálico. Se sazona con sal y pimienta. Se añaden una cebolla cortada en cuatro, la hoja de laurel, las ramas de perejil, el tomillo y el ajo. Se echa el vinagre y el vino. Se mezcla bien todo esto, y se deja marinar la liebre 12 horas.
2. Se retiran los trozos de liebre y se escurren muy bien.
3. Se corta el tocino en cuadraditos y se pica la cebolla restante. Se rehoga en una cacerola con aceite durante 7 minutos (hasta que empiece a dorarse).
4. Se pasan los trozos de liebre por harina y se sacuden, se añaden al rehogado; se revuelve con una cuchara para que no se pegue. Después se añade poco a poco el vino del adobo con todos los ingredientes. Se deja cocer durante 5 minutos y se añade el caldo.
5. Se cubre la cacerola con papel de estraza o un paño, y se cierra muy bien con la tapa. Se deja cocer suavemente a fuego lento de 1 1/2 hora a 2, sacudiendo de vez en cuando la cacerola para revolver.
6. Se sirve en una fuente honda espolvoreada de perejil picado. (Antes de servir deben retirarse las hierbas y el ajo.)

Faisán al coñac

Ingredientes:

1 faisán
1 copa de coñac
1 loncha de tocino muy fina
1 ajo
Sal

1. Se limpia y se flamea el faisán. Se adoba con ajo machacado y sal, y se deja serenar durante dos días.
2. Se arma el faisán, sujetando los muslos y las alas con hilo de cocina, se rocía con el coñac y se cubre con la loncha de tocino.
3. Se pone en una fuente de hornear y se asa al horno a fuego fuerte (conviene poner un poco de agua en el recipiente para que el ave no se pegue). Se le quitan los hilos y el tocino, y se sirve con su jugo.

Perdigones asados

Ingredientes:

4 perdigones
Manteca de cerdo
Sal

1. Se limpian, se vacían y se les introduce un poco de manteca de cerdo. Por fuera, se untan también con manteca, se sazonan con sal y se colocan en una fuente para hornear.
2. Se colocan en el horno a fuego fuerte hasta que los perdigones tengan color dorado, cuidando que estén tiernos pero no quemados (unos 20 minutos).
3. Se sacan del horno, se parten por la mitad y se sirven acompañados de pan frito o una ensalada.

Aves y caza

Perdices a la vinagreta

Ingredientes:

4 perdices
2 cebollas
2 dientes de ajo
1 hoja de laurel
Vino blanco
Aceite y vinagre
Sal y pimienta

1. Desplumar, flamear al vaciar las perdices. Atarlas con hilo de cocina.
2. Sofreír las perdices en una cacerola con aceite. Cuando estén bien doradas, agregar cebolla picada, sal y pimienta y dejar sofreír otro rato.
3. Añadir el ajo picado, vinagre, perejil picado, laurel y un poco de agua. Tapar y cocer a fuego medio durante una hora.
4. Cuando las perdices estén tiernas, colocarlas en una fuente y verter la salsa por encima. Servir bien caliente.

Codornices asadas

Ingredientes:

6 codornices
6 lonchas de tocino
6 hojas de viña
50 gramos de manteca de cerdo
2 manojos de berros
6 rebanadas de pan frito
Sal

1. Se despluman las codornices, se flamean con alcohol, se vacían y se salan.
2. Se untan las hojas de viña con manteca y se ponen encima de las pechugas de las codornices. Se untan los lomos de las codornices con manteca y se pone sobre ellos el tocino. Se atan.
3. Se calienta el horno a fuego medio y se meten en él las codornices, en una fuente refractaria, cocinándolas de 15 a 20 minutos.
4. Se desatan, se les quita la hoja de viña y se ponen las codornices sobre una rebanada de pan frito. Se rocían con jugo y se sirven calientes, con la fuente adornada de berros.

Empanada gallega

Ingredientes:

Pasta:

1/4 de kilo de harina
1 vasito de aceite
5 gramos de levadura
1 cucharada de leche
1 huevo

Relleno:

1/4 de kilo de lomo de cerdo
6 tomates maduros
1 cebolla
1 pimiento verde
2 dientes de ajo
Pimentón
Tomillo
Azúcar
Sal y pimienta

1. Poner en un recipiente la harina, con levadura y sal. Mezclar, dejando un hueco en el centro, en el que se echa el aceite, la leche y el huevo.
2. Amasar rápidamente; formar una bola con la masa, envolverla en un paño húmedo y dejar reposar dos horas en sitio fresco.
3. Cortar el lomo en láminas muy finas. Aliñar con ajo, perejil y pimienta. Rehogar en una sartén, y reservar.
4. En la misma sartén, y utilizando el aceite sobrante, poner cebolla y pimiento, picados; cuando empiecen a dorar, añadir los ajos y el tomate (pelado y sin semillas).
5. Añadir a este sofrito las especias, la sal y el azúcar. Cuando esté a punto, echar de nuevo el lomo de cerdo. Dejar que dé un hervor.
6. Extender la masa sobre la mesa, con un rodillo, formando una lámina delgada. En un

molde o en una fuente para empanadas poner una primera capa de masa. Pincharla un poco. Añadir el relleno y cubrir con otra capa, uniendo bien los bordes.
7. Barnizar con huevo batido, y poner al horno, a fuego medio, hasta que la masa quede dorada.

Empanada de bonito

Ingredientes:

Relleno:

1/2 kilo de bonito fresco
1 latita de tomate
1 huevo
1/2 cebolla
Aceite
Sal

1. Se prepara la masa de la forma indicada en la receta anterior.
2. Se limpia el bonito, se le quita la piel, se sazona con ajo y

sal, y se fríe a fuego lento hasta que esté bien tostado.
3. Se prepara una salsa con tres cucharadas de aceite y el tomate, sazonándola con sal. Se cuece el bonito en esta salsa durante 20 minutos, se deja enfriar, se desmenuza y se vuelve a mezclar con la salsa.
4. Se forma la empanada con este relleno, se cierra, se barniza con el huevo batido y se cuece al horno con el fuego moderado.

Repostería

Churros

Ingredientes:

1/2 kilo de harina
1 litro de agua
Azúcar
Aceite y sal

1.   Poner a hervir el agua, con media cucharadita de sal y una cucharada de aceite.
2.   Cuando el agua empiece a hervir, hechar la harina, removiendo rápidamente con una cuchara de madera, para evitar que se formen grumos, y obtener así una masa fina. Dejar cocer un par de minutos.
3.   Retirar del fuego, y llenar con esta masa la churrera. Hacer los churros, bien sobre una mesa, o bien directamente sobre el aceite, que debe ser abundante y estar bien caliente.

Tocinillo de cielo

Ingredientes:

300 gramos de azúcar
10 yemas
1 clara
Vainilla

1.   Poner al fuego el azúcar, un vasito de agua y un trozo de vainilla. Desespumar en cuanto empiece a hervir, y continuar la cocción durante unos minutos, para obtener un almíbar a punto de hebra floja.
2.   Batir ligeramente las yemas con la clara. Quitarle al almíbar el trozo de vainilla, y separar 8 cucharadas. El resto del almíbar, todavía hirviendo, mezclarlo bien con las yemas.
3.   Dejar que las 8 cucharadas de almíbar reservadas hiervan un poco más, y bañar con ellas el interior de un molde (que deberá tener una tapa hermética).
4.   Verter en el molde las yemas mezcladas con almíbar. Tapar el molde y meterlo dentro de una cacerola. Echar agua fría en la cacerola, hasta la mitad del molde. Tapar también la cacerola y dejar que rompa a hervir, y a partir de ese momento dejar hervir durante 5 minutos.
5.   Pasados los 5 minutos, trasladar la cacerola, siempre tapada, al horno, y cocer a buen fuego durante 15 minutos. Dejar enfriar antes de desmoldar.

Repostería

Ensaimada mallorquina

Ingredientes:

1 kilo de harina
250 gramos de manteca
Levadura
10 huevos
Leche
Azúcar

1.   En un recipiente apropiado se echan la harina, la manteca, la levadura y los huevos, se amasa durante mucho rato, añadiendo de cuando en cuando algo de leche, hasta obtener una pasta muy suave y homogénea, que se deja reposar en un lugar templado, cubierta por un lienzo durante 12 horas.
2.   Transcurrido ese tiempo se enharina una mesa, se pone sobre ella la pasta y se le da la forma de un rollo largo y estrecho.
3.   Se corta en trozo regulares a los que se da forma de ensaimada (enrollándolos sobre sí mismos). Se derrite un poco de manteca y se untan. Se dejan reposar un tiempo más.
4.   Se cuecen al horno, a fuego suave, espolvoreadas con azúcar.

Arroz con leche

Ingredientes:

300 gramos de arroz
200 gramos de azúcar
1 1/2 litro de leche
Mantequilla
Vainilla
1 cáscara fina de limón
Canela en polvo
Sal

1.   Hervir el arroz en agua durante 5 minutos.
2.   Escurrir el arroz, enfriarlo con agua y echarlo en una olla con la leche hirviendo.
3.   Añadir el azúcar, la vainilla, la cáscara de limón y una pizca de sal. Cocer suavemente durante 25 minutos.
4.   Añadir la mantequilla. Suprimir la vainilla. Echar el arroz en una fuente poco honda. Dejar enfriar en la nevera, y cuando esté frío espolvorear con un poco de canela.

Repostería

Torrijas madrileñas

Ingredientes:

1/4 de litro de leche
200 gramos de aceite de oliva
200 gramos de miel
300 gramos de pan inglés
50 gramos de azúcar
2 huevos

1. Se mezcla el azúcar con la leche. Se corta el pan en rebanadas de 1 1/2 cm de grosor y se pasan por la leche y por el huevo bien batido.
2. En una sartén se calienta el aceite y en él se fríe el pan hasta que esté bien dorado. Se escurren y se ponen en una fuente.
3. Se rocían con miel y se sirven.

Brazo de gitano

Ingredientes:

125 gramos de harina
125 gramos de azúcar
5 huevos
Corteza de limón rallada
1/4 de kilo de crema pastelera
Azúcar lustre

1. Batir las yemas con el azúcar y piel de limón rallada. Batir las claras a punto de merengue y mezclar con las yemas. Añadir la harina y mezclar despacio con la cuchara de madera. Preparar una bandeja de horno, cubriéndola con un papel sulfurizado, engrasado y espolvoreado con harina. Extender sobre el papel la masa, dándole medio centímetro de espesor.
2. Encender el horno a medio

fuego y cocer la pasta durante 10 minutos. Sacarla de la bandeja de hornear y colocarla sobre un papel espolvoreado cor azúcar lustre.
4. Colocar por encima una capa de crema pastelera espesa. Enrollar para que adquiera la forma característica del brazo de gitano. Cortar los extremos para igualarlos y espolvorear con azúcar lustre. Dejar enfriar.

Natillas

Ingredientes:

1/2 litro de leche
3 yemas de huevo
Azúcar
Canela en rama
Canela en polvo
Corteza de limón

1. Hervir la leche, con una

corteza de limón y un trocito de canela en rama.
2. En un recipiente (que en ningún caso debe ser de aluminio), batir suavemente las yemas y el azúcar, siempre en el mismo sentido, con una cuchara de madera. Añadir la leche a chorritos, sin dejar de remover.
3. Cocer al baño María, removiendo siempre en la misma dirección. No dejar que lleguen a hervir, pues se cortarían.
4. Verter en un recipiente de loza o cristal, dejando que enfríen, removiéndolas un poco mientras tanto. Antes de servir, espolvorear con canela en polvo.

Crema catalana

Ingredientes:

1/2 litro de leche
1 trozo de corteza de limón
1 rama de canela
6 huevos
250 gramos de azúcar
50 gramos de harina
20 gramos de fécula de arroz

1. Se calienta medio litro de leche con la corteza de limón y la canela. Cuando empiece a hervir se retira del fuego.
2. En una ensaladera se ponen 6 yemas de huevo, 150 gramos de azúcar, la harina, la fécula de arroz y media taza de leche hervida. Se hace una crema y se pasa por un colador.
3. La crema ya colada se mezcla con el resto de la leche, y se cuece, sin dejar de revolver hasta que esté espesa. Debe hacerse la cocción a fuego lento.

4. Se vierte la crema en una fuente y se espolvorea con el resto del azúcar. Se calienta una paleta de hierro al rojo vivo y con ella se quema el azúcar.

Magdalenas

Ingredientes:

4 huevos
125 gramos de azúcar en polvo
125 gramos de harina
100 gramos de mantequilla
Corteza de limón rallada

1. Cascar en un cuenco 3 huevos. Añadir el azúcar y unas pocas ralladuras de corteza de limón.
2. Agregar la yema del cuarto huevo y la harina. Trabajar bien la masa, hasta que quede bien lisa. Derretir la mantequilla y mezclarla bien con la masa.
3. Untar los moldes para magdalenas con mantequilla y

llenarlos sólo hasta las dos terceras partes. Con el horno caliente, a temperatura suave, cocerlas durante 25 minutos. Dejarlas enfriar.

Dulce de membrillo

Ingredientes:

3 membrillos
3 tazones de azúcar

1. Se escogen membrillos lo más maduros posible. Se pelan, se cortan en trozos y se les quita el corazón y las semillas.
2. Se ponen a cocer en una cacerola con abundante agua fría hasta que estén blandos. Se escurren y se pasan por el pasador de puré.
3. Se mide con un tazón la cantidad de puré de membrillo, y se separa una cantidad de azúcar igual al número de tazones de puré más uno. Este azúcar se reserva.

4. Se cuece el puré de membrillo en una cacerola de porcelana cuyo esmalte esté en perfecto estado, hasta que el puré espese. Debe revolverse continuamente con una cuchara de madera.
5. Se añade el azúcar y se sigue cociendo durante unos 15 minutos. Se separa del fuego y se deja enfriar, revolviendo con frecuencia con la cuchara que se dejará dentro del dulce.
6. Para comprobar si el dulce está ya hecho, se pone un poco sobre un plato y se deja enfriar. Una vez frío debe desprenderse fácilmente del plato, en caso contrario debe continuarse la cocción.
7. Una vez en su punto y frío, se pone en frascos de cristal, se deja secar unos días al aire hasta que se forme una corteza en la superficie, y una vez conseguido esto, se cierran los frascos herméticamente.

Repostería

Polvorones de Estepona

Ingredientes:

200 gramos de manteca de cerdo
2 yemas
1 cucharadita de canela en polvo
50 gramos de azúcar en polvo
1 copita de anís
200 gramos de azúcar
400 gramos de harina

1.   Se tuesta la harina al horno, removiéndola con una cuchara. Una vez tostada se retira y se deja enfriar.
2.   En una ensaladera se mezclan la manteca de cerdo, las yemas, el anís, el azúcar y la canela. Se revuelve con una cuchara de madera hasta obtener una crema. Se añade poco a poco la harina tostada hasta formar una masa, con la que se hacen bolas.
3.   Se cuecen al horno a fuego fuerte. Una vez cocidas, se retiran con cuidado para que no se rompan, se espolvorean con el azúcar en polvo y se envuelven en papeles de seda.

Mazapanes de Toledo

Ingredientes:

1/4 de kilo de almendras molidas
300 gramos de azúcar
3 claras de huevo
Azúcar glas

1.   Con el azúcar y medio litro de agua, hacer un almíbar a punto de hebra.
2.   Retirar el almíbar del fuego y añadir las almendras molidas, removiendo bien con una cuchara de madera.
3.   Poner de nuevo al fuego, sin dejar de remover. Cuando empiece a hervir, retirar del fuego, dejar que enfríe un poco (sin dejar de remover) y añadir las claras, una a una.
4.   Volver a poner el recipiente al fuego, sin dejar de remover, hasta que hierva de nuevo.
5.   Sobre unos trocitos de oblea, colocar pequeñas porciones de mazapán, espolvorear con azúcar glas, y dejar cocer al horno durante unos minutos.

Repostería

Turrones

Turrón de Alicante

Ingredientes:

1/2 kilo de almendras
1/4 de kilo de miel
1 clara
150 gramos de azúcar

1. Pelar las almendras y partirlas en dos o tres trozos cada una. Tostarlas al horno, ligeramente.
2. Con el azúcar y una tacita de agua, hacer un almíbar a punto de caramelo, cuidando de retirarlo del fuego antes de que se queme.
3. Calentar la miel para que se funda un poco, y agregarla, fuera del fuego, al almíbar, removiendo con rapidez.
4. Volver a poner el almíbar mezclado con miel al fuego, y sin dejar de remover, cocerlo hasta que llegue el punto «de lámina» (es decir, cuando el almíbar se va al fondo formando como una lámina). Añadir entonces las almendras partidas, y la clara, batida a punto de nieve. Trabajar bien esta masa, hasta que esté bien unida.
5. Verter en un molde forrado con un papel blanco, y en el que se habrá puesto un fondo de obleas. Meter el molde en la nevera, para endurecer el turrón.

Turrón de Jijona

Ingredientes:

300 gramos de avellanas tostadas
1/4 de kilo de almendras tostadas
100 gramos de miel
1/2 kilo de azúcar glas
2 claras

1. Moler las avellanas y las almendras. Una vez molidas, mezclarlas con el azúcar glas, y añadir a continuación la miel. Una vez unidos todos estos ingredientes, añadir muy cuidadosamente la clara.
2. Con las manos, darle a esta masa la forma de una barra de turrón. Ponerla en una bandeja sobre un trozo de oblea del mismo tamaño, y cubrirla con otro trozo de oblea. Colocar un peso encima de la barra de turrón y dejarla secar, a temperatura ambiente, durante una semana.

Glosario de la cocina española

A

Aderezar. Condimentar los alimentos. También se usa para significar la preparación de un plato con el fin de darle un aspecto elegante antes de presentarlo en la mesa.

Adobar. Dejar reposar una carne, antes de cocerla, en un «adobo», es decir, una preparación a base de hierbas aromáticas, condimentos y especias, a fin de que la carne se ablande y quede aromatizada. Es imprescindible sobre todo en la preparación de la caza. *Marinar*.

Agraz. Jugo de uva, extraído antes de su maduración.

Aliñar. Condimentar un alimento.

Alubia. Esta leguminosa, de la cual existen numerosas variantes, recibe muchos nombres genéricos en España («judías», «fabes») y en América («fríjoles», «porotos»), nombres que pueden variar también según se presenten verdes («ejotes», «porotos verdes») o secas.

Amontillado. Variedad de vino de Jerez, de color oro, con más cuerpo que el fino.

Armar. Preparar un ave para asarla, sujetando las alas y las patas con cuerda o hilo de cocina, de tal manera que durante la cocción no se pierda la forma natural del ave y se pueda presentar así en la mesa.

B

Berza. Variedad poco apreciada de la col.

Bocadillo. Emparedado que se hace con un panecillo cortado a lo largo.

Bonito. Pescado de aguas templadas semejante al atún pero de menor tamaño que éste.

Butifarra. Embutido de carne de cerdo al que se añaden distintos condimentos. Es típico de Cataluña.

C

Caldereta. Guiso propio de localidades marineras, a base de pescado hervido con cebolla y pimiento.

Callos. Trozos de tripas y otros despojos del vacuno que se comen guisados. En México *(pancita, menudo)*.

Capón. Pollo joven, castrado y cebado para que resulte más tierno y sabroso.

Cazuela (a la). Guiso que se cocina y se sirve en recipiente de barro.

Cebón. Animal (generalmente cerdo) criado y engordado especialmente para obtener una carne de mayor calidad.

Cigala. Crustáceo de tamaño intermedio entre el langostino y la langosta. El par de patas anteriores está terminado en pinza. Es uno de los mariscos más cotizados.

Cocochas. Protuberancias que se forman a los lados de la cabeza de la merluza. Plato típico del País Vasco.

Codillo. Parte del cuerpo de un animal que comprende la rodilla de las patas anteriores.

Col. Es una planta de hojas anchas en forma de cogollo y de la que existen una gran cantidad de variedades, de las cuales el *repollo* es la más popular y extendida.

Criadillas. Testículos de cordero, cerdo, ternero o toro.

CH

Chalote. Escalonia.

Chanfaina. Guiso de despojos de carne picada en trocitos. También, salsa a base de tomate, pimiento y berenjena, típica de Cataluña.

Chuleta. Trozo de carne (vacuno, cordero, cerdo) adherido a un trozo de costilla.

D

Desleír. Diluir con un poco de agua u otro líquido (caldo, vino), harina, huevo, etc., para evitar que espese o forme grumos al añadirlo a un líquido.

E

Empanada, empanadilla. Pastel hecho con un relleno de carne o pescado, cubierto con masa (las formas de esta masa varían según las tradiciones locales) y cocida al horno. Las *empanadillas* son lo mismo pero en tamaño mucho más pequeño.

Empanar. Rebozar carnes, pescados, etc. en pan rallado, antes de freírlos.

Emparedado. Bocadillo, sandwich.

Encurtido. Fruto o legumbre conservado en vinagre.

Entremés. Pequeños manjares que se sirven antes de la comida y que generalmente se dejan sobre la mesa hasta el momento de los postres, consumiéndose en los intervalos entre plato y plato.

Escabeche. Marinada o adobo preparado con vinagre y plantas aromáticas para conservar un pescado.

Escalonia. Planta similar a la cebolla cuyos bulbos se presentan agrupados como los del ajo y que se utiliza como condimento.

Escurrir. Retirar el agua o el líquido de un alimento, después de marinarlo o cocerlo, dejando que gotee y suelte todo el líquido.

F

Fino. Variedad de vino de Jerez, de color pajizo, con ligero sabor a almendras.

G

Garbanzo. Leguminosa típica en la cocina española, donde es base de casi todos los cocidos; en América se consume especialmente en México. Otros nombres: *chícharro, teniente*.

Guarnición. Acompañamiento de carnes y pescados, compuesto por diversas combinaciones de patatas, champiñones, verduras y legumbres.

J

Judía. Ver *Alubia*.

L

Lacón. Brazuelo o pata delantera del cerdo, salado y curado en la manera del jamón.

Lechal. Cordero lactante.

Lechón. Cochinillo lactante.

M

Macerar. Procedimiento destinado a ablandar y aromatizar determinados elementos para los cual se dejan en remojo en un líquido con distintos condimentos. *Adobar, marinar*.

Majar. Triturar un alimento (especialmente ajos) en el mortero o almirez.

Marinar. Macerar carnes o pescados en un líquido perfumado con hierbas aromáticas; dicho líquido recibe el nombre de *marinada*. *Adobar, macerar*.

Manzanilla. Vino generoso de Sanlúcar de Barrameda.

Menudos. Despojos (hígados, corazón, etc.) de las aves, especialmente del pollo.

Molleja. Glándula de ternera, situada en la parte inferior del cuello, apreciada en muchos lugares como una delicia gastronómica. También, *cachuela*.

N

Níscalo. Hongo o seta comestible abundante en España y otros países europeos en otoño. *Robellón*.

O

Oloroso. Variedad del vino de Jerez, seco.

P

Pasador. Colador, utensilio que se utiliza en cocina para colar o filtrar líquidos.

Pellizco. Porción mínima de un ingrediente (sal, etc.). *Punta del cuchillo*.

Picadillo. Mezcla de carne picada junto con otros ingredientes, como cebolla y aromatizantes, especialmente la que se emplea para rellenar embutidos y empanadas. *Relleno, pino, recado*.

Pimentón. Polvo rojizo que se obtiene moliendo pimientos rojos secos, y que se emplea para dar color y picante a las comidas. *Paprika*.

Pote. Olla. En algunas regiones españolas (Galicia, Asturias), el «pote» es el nombre del cocido típico de la región.

Puchero. Olla. *Potaje, cocido*.

R

Rebozar. Envolver un alimento (generalmente con huevo, harina, pan rallado) para freírlo a continuación.

Rehogar. Es un procedimiento culinario habitual al comienzo de la preparación de un guiso. Se hace generalmente en una sartén o una cacerola con aceite o manteca de cerdo calientes en el que se fríen las viandas a fuego lento, de tal manera que queden bien impregnadas («ahogadas») con la grasa y aromatizadas con los demás ingredientes.

Relleno. Conjunto de ingredientes picados o desmenuzados que se emplea para confeccionar una receta (entremeses y entrantes, aves y pescados, empanadas, etc.). *Picadillo, recado, pino*.

S

Salmuera. Agua muy salada; conserva de pescado en salazón.

Salpimentar. Condimentar con sal y pimienta.

Saltear. Dorar un alimento en aceite o manteca, a fuego vivo, durante breve tiempo.

Sofreír. Freír un alimento en forma rápida y superficial. El *sofrito*, en cambio, es lo mismo que el «refrito», es decir, una fritura en aceite compuesta de tomate, cebolla, ajo y otros ingredientes que sirve para realzar el sabor de numerosos guisos.

T

Tostón. En la cocina tradicional española, cochinillo asado.

Trabajar. Manipular una masa hasta lograr la consistencia y homogeneidad deseadas, o remover una salsa hasta dejarla bien trabada y a punto.

Trocear. Cortar un alimento en trozos antes de cocerlo o unirlo a otros ingredientes.

V

Vieira. Concha de peregrino. *Coquille Saint-Jacques*.

Z

Zarzuela. Surtido de viandas, especialmente de pescados y mariscos, presentadas sobre una gran fuente. Plato típico de Cataluña.

Guía de los vinos españoles

VINOS GENEROSOS

Denominación	Zona	Color	Sabor
Chiclana	Chiclana	Oro pálido	Seco, algo ácido
Huelva amontillado	Huelva	Ámbar	Muy seco
Huelva dulce	Huelva	Caoba	A uvas pasas
Huelva fino	Huelva	Oro pálido	Seco
Huelva oloroso	Huelva	Oro oscuro	Seco
Jerez amontillado	Jerez	Ámbar	Muy seco, avellanado
Jerez cream	Jerez	Caoba	Vigoroso y dulce
Jerez fino	Jerez	Oro pálido	Seco, almendrado
Jerez manzanilla	Sanlúcar	Pálido	Seco, aromático
Jerez moscatel	Jerez	Caoba	Dulce, fragante
Jerez oloroso	Jerez	Oro oscuro	A nuez, aromático, aterciopelado
Jerez palo cortado	Jerez	Oro oscuro	Suave, aromático
Jerez Pedro-Ximénez	Jerez	Caoba	Muy dulce, aterciopelado
Jerez raya	Jerez	Oro oscuro	Un oloroso menos fino
Málaga dulce	Málaga	Oscuro	Dulce, tónico
Málaga lágrima	Málaga	Oro viejo	Dulce, suave
Málaga moscatel	Málaga	Ámbar oscuro	Dulce
Málaga pajarete	Málaga	Ámbar	Semidulce
Málaga Pedro-Ximénez	Málaga	Ámbar oscuro	Muy dulce
Málaga seco	Málaga	Ámbar	Dulce, graduado
Montilla-Moriles amontillado	Montilla	Oro pálido	Seco, avellanado
Montilla-Moriles fino	Montilla	Oro pálido	Seco, de cuerpo
Montilla-Moriles oloroso	Montilla	Caoba	Seco
Montilla-Moriles palo cortado	Montilla	Oro oscuro	Aromático
Montilla-Moriles Pedro-Ximénez	Montilla	Caoba	Muy dulce

VINOS DE MESA

Denominación	Región	Color	Sabor
Ribera Alta (Navarra)	Alto Ebro	Rubí/rosado	Franco/afrutado
Ribera Baja (Navarra)	Alto Ebro	Granate	Cálido
Rioja Alavesa (Álava)	Alto Ebro	Rojo intenso	Afrutado
Rioja Alta (Logroño)	Alto Ebro	Rubí	Franco, aromático
Rioja Baja	Alto Ebro	Granate	Cálido
Valdizarbe (Navarra)	Alto Ebro	Rosado	Afrutado
Borja (Zaragoza)	Aragón	Rojo intenso	Corpulento/áspero
Cariñena (Zaragoza)	Aragón	Púrpura	Vigoroso, sedoso
Somontano (Huesca)	Aragón	Rubí	Suave/ácido
Binisalem (Mallorca)	Baleares	Guinda	Corpulento, pleno
Felanitx (Mallorca)	Baleares	Rubí	Seco/áspero
Lanzarote	Canarias	Ámbar	Vigoroso, sedoso
Guetaria-Txacolí	Cantabria	Blanco	Fragante/ácido
Alella (Barcelona)	Cataluña	Blanco	Fresco/amargo
Ampurdán (Gerona)	Cataluña	Rojo cereza	Corpulento, armonioso
Conca de Barberá (Tarragona)	Cataluña	Rosado	Afrutado, fresco
Gandesa (Tarragona)	Cataluña	Pajizo	Seco, almendrado
Penedés (Barcelona)	Cataluña	Blanco pálido	Fresco/ácido, afrutado
Priorato (Tarragona)	Cataluña	Rojo intenso	Pleno, denso
Almendralejo (Badajoz)	Extremadura	Pajizo	Seco
Cañamero (Cáceres)	Extremadura	Clarete	Natural, cálido
Montánchez (Cáceres)	Extremadura	Pajizo	Suave, seco, del terruño
Cebreros (Ávila)	Centro	Rojo violáceo	Corpulento
Fermoselle (Zamora)	Centro	Granate	Corpulento
Mancha	Centro	Pajizo	Seco, almendrado
Méntrida (Toledo)	Centro	Rojo	Con cuerpo

Denominación	Región vinícola	Color	Características
Ribera del Duero	Centro	Rojo morado	Pleno, ácido
Tierra de Madrid	Centro	Rojo	Con cuerpo
Toro (Zamora)	Centro	Granate	Corpulento, cálido
Valdepeñas (Ciudad Real)	Centro	Rubí	Ligero y neutro
Bierzo (León)	Duero	Granate	Franco, pleno, muy europeo
Cigales (Valladolid)	Duero	Clarete	Afrutado
Ribera (Burgos)	Duero	Clarete	Ligero, fresco
Rueda (Valladolid)	Duero	Blanco verdoso	Afrutado
Valdevimbre (León)	Duero	Clarete	Afrutado
Cambados (Pontevedra)	Galicia	Pálido	Afrutado, franco
Condado de Salvatierra	Galicia	Rubí	Afrutado/ácido
Ribeiro (Orense)	Galicia	Tinto/blanco	Seco, enjuto
Rosal (Pontevedra)	Galicia	Pálido	Afrutado
Valdeorras (Orense)	Galicia	Rojo	Franco/ácido
Valle de Monterrey	Galicia	Rojo	Armonioso
Alicante	Levante	Granate	Robusto
Almansa (Albacete)	Levante	Rojo	Robusto
Jumilla (Murcia)	Levante	Granate	Robusto, seco
Utiel-Requena	Levante	Rojo cereza	Aromático
Valencia	Levante	Dorado	Seco
Yecla (Murcia)	Levante	Clarete	Cálido, suave

Indice de recetas

Nota

Los ingredientes especificados al comienzo de cada una de las recetas de este volumen, han sido calculados para cuatro personas. En unos pocos casos, sin embargo, las cantidades señaladas resultarán apropiadas para un mayor número de individuos, pues en la confección de ciertas viandas existen cantidades mínimas por debajo de las cuales no resulta aconsejable cocinar determinados platos. En otros casos, además, las cantidades de todos los ingredientes están condicionadas por el tamaño de las piezas a cocinar, y no por el número de comensales.

Las recetas marcadas con un asterisco * son las ilustradas